동 화
갈매기

-신 곡보부-

둥근달 밝은 밤에 바닷가에는
엄마를 찾으려고 우는 물새가
남쪽 나라 먼 고향 그리울 때에
늘어진 날개까지 젖어있구나

밤에 우는 물새의 슬픈 신세는
엄마를 찾으려고 바다를 건너
달빛 맑은 나라에 헤매 다니며
엄마 엄마 부르는 작은 갈매기

이렇게 곱고 아름다운 노래가
재미있는 곡보까지 맞춰
여러 가지씩 「어린이」
잡지에 있습니다.

- 책가 단 10전 -

신여성 통권 제3호 다시 읽기(제2권 제1호)

발 행 | 2024년 5월 28일
저 자 | 개벽사
역 자 | 한요진
펴낸이 | 한건희
펴낸곳 | 주식회사 부크크
출판사등록 | 2014.07.15.(제2014-16호)
주 소 | 서울특별시 금천구 가산디지털1로 119 SK트윈타워 A동 305호
전 화 | 1670-8316
이메일 | info@bookk.co.kr

ISBN | 979-11-410-8677-0

www.bookk.co.kr

월간잡지

신여성 통권 제3호
다시 읽기

개벽사 저
한요진 역

부크크✎

<번역에 사용한 참고자료 목록>
- 네이버 국어사전, 일어사전, 한자사전
- 한국민족문화대백과사전
- 국사편찬위원회: 한국사데이터베이스
- 국립중앙도서관
- 네이버 신문 아카이브

※ 본문 내 한자 표기는 최소화하고 각주로 설명을 더했습니다.
※ 일부 옛말은 현대어를 찾지 못하거나 뜻을 유추하지 못하여 원어 그대로 표기하였습니다.
※ 이 책은 잡지 '신여성'에 실린 글만 현대 국어로 정리하였습니다. 원서에 수록된 그림· 사진 등은 해당 도서에서 제외되었으니, 해당 자료가 필요한 분께서는 '신여성' 영인본을 참고하시기 바랍니다.
※ 지면의 문제로 일부 광고의 위치를 원전과 다르게 조정하였습니다.

<역자 소개>
한요진(韓耀縉)
문화학 박사. 작가, 코스튬플레이 아티스트.
역서: 신여성 통권 제2호 다시 읽기(2024, 부크크)
　　　(다시 읽는) 신여성 창간호(2023, 부크크)
저서: 독립출판 비밀 노트, 당신도 작가의 꿈을 이룰 수 있다!(2024, 부크크)
　　　대나무 숲 푸른 바람(2023, 부크크)
　　　코로나19와 함께 한복, 코스프레(2022, 부크크)
　　　나의 코스프레 철학 탐구(2021, 부크크)
전시: 전태일기념관 제2회 시민공모전 평화를 준수하라 참여(2023)
　　　온고ing전 참여(2022)

결 혼 문 제 !

에 대한 당신의 의견과 경험은 어떠하십니까.

기러기 소리 들은 지가 어느 날 이던고, 복숭아꽃이 만발할 때도 얼마가 못 남았습니다. 때는 정히 춘삼월 호시절, 실로 군자, 가인이 새살림을 창조해도 좋은 때입니다. 우리는 여기에 생각하는 바 있어서,

1, 결혼문제에 관한 의견. 즉, 한 예를 들면, 결혼의 근본의는 어떠하며, 실제의 결혼은 어찌해야 하며, 또 혼인 의식은 어떻게 하는 것이 제일 가(可)할까 하는 등.

2, 실제로 결혼하여 보니, 그 경험이 어떠하던가. 달리 말하면 과연 생각하던 바와 같던가, 틀리던가, 쓰던가, 달던가. 또 거기에서 새로 얻어지는 것은 무엇이며, 자꾸 달라가는 것은 무엇이던가 하는 등에 대한 당신의 의견과 경험을 모집하게 되었습니다.

기한은 3월 말일까지이외다. (상품 증정)

신여성 편집국 백

❀ 신여성 제3호 ❀

목 차

– 신여성을 사랑하시는 이에게 –

「개벽」 3월호는 특히 사상 비판, 인물 비평호로 들입니다. 한 번, 예(例)에 없는 끔찍한 논전을 보게 되었습니다. 이 세상, 바로 이 세상의 어느 사상이 어떻고, 어느 인물이 어떤가. 지금 조선에 사는 사람치고 안 보고는 못 될 것입니다.

정가 50전 우세 2전
개벽사

구회사진

◆ 빛을 우러러

◆ **여러 여학교 교표 소개**
　　△ 왼편 가슴에 동그란 흰 표를 붙인 것은 서울 배화여고
　　△ 검정 치마에 흰 줄 둘 두른 것은 서울 진명여고
　　△ 검정 치마에 꼬불꼬불한 흰 줄 하나 두른 것은 서울 동덕여교

갑자(1924년) 2월 발행	신여성 제3호	『부인』 개제

문제인 부처(夫妻) 간 싸움: 김기전

"내가 정말 나쁜 놈인가. 아니, 대체 어떻게 되어가는 심사이기에 집안에 들어가면 하는 일이 밤낮 싸움뿐인고."

나는 가끔 이러한 생각을 수시로 하지 아니치 못한다. 이렇게 생각하는 나의 마음속에는 사실대로 말하면 여기에는 비상한 분노가 있고, 말할 수 없는 슬픔이 있다. 사람아, 내가 이제 이 문제에서 붓을 잡는 마당에 또 무엇을 숨길 것이냐. 나는 매양[1] 나의 여편네와 더불어 싸우는 자이다. 싸우되 매일 평균 한 번씩은 싸우는 자이다. 싸우면 그 사이에서는 보통 어떤 싸움에서도 보는 것과 같은 비극, 참극을 보게 되는 것이다.

"부처 간 싸움 옳다 생각하겠다. 네 '여편네'가 여학생 출신이 아니오, 또 얼굴이 예쁘지 못하고 그러니까 서로 정의가 통하지 못해서 밤낮 싸움이란 말이지. 그러니 말이지 네가 일전 어떤 신문지에서 들은 '이혼의 가·부'에 대하여 "이혼을 하고 싶은 사람이면 당연히 하는 것이 옳다."고 하였더라. 그때부터 우리는 네가 어떠한 아내를 가졌는가를 짐작했었다."

이렇게 나를 떠보는 사람이 있으리라. 무엇, 열이면 아홉은 이렇게 나를 평판하리라.

"당신 말이 옳소이다. 나의 '아내'는 과연 여학생 출신이 아니외다. 예쁜 '여편네'가 아니외다. 당신이 어쩌면 그렇게도 나의 집

---

1) 매양: 매 때마다.

형편을 잘 아시나이까."

하고 항복하겠다. 정말이다. 여기까지는 선뜻이 항복하겠다. 그러나

"당신, 그렇지 않소이다. 나의 '아내'가 여학생 출신 아닌 것이 사실(事實)이오, 예쁘지 못한 것도 사실이나, 내가 나의 아내와 더불어 싸우는 이유가 또한 여기에 있지 아니한 것도 사실이외다."

나는 이렇게 항변(抗辯)할 것이다. 어디까지 항변하여야 되리라고 한다.

그러면 왜 싸우느냐. 그만한 체면은 알아야 할 네가 왜 그렇게 싸우느냐. 아니, 이것도 저것도 아니라 하면 무엇 때문에 싸우는 싸움이냐. 문제의 알맹이는 여기에 있을 것이다.

단도직입(單刀直入)으로 말하리라.

사람이 어떻게 사람을 누를 수가 있으며, 사람이 어떻게 사람을 섬길(종사) 수가 있을까. 달리 말하면 누가 감히 "에헴." 하고 허리를 젖힐 자이며, 또는 누가 구태여 "네-네-."하고 허리를 굽힐 자 이리요. 허리를 젖힐 '거만'이 없고, 허리를 굽힐 '아첨'이 없는 곳에, 그러한 곳에서만 비로소 사람의 **관계**란 것이 지어질 것이 아닌가. 사람이란 암만해도 알알이 살 수는 없고, 반드시 어떠한 '관계'에서나 관계 관계로 사는 것이라 하면 그 '관계'는 적어도 이만한 관계(**거만**과 **아첨**을 떠나서 온전히 기쁨과 감격으로써 지어진 것)는 되어야 할 것이 아닌가. 오늘날 사회제도 밑에 그러한

'관계'를 맺기는 당장에 능치 못할 일이라 할지라도, 적더라도 자기의 지금 '관계'를 그만한 관계에까지 진취시킬 생각이라도 가져야 할 것이 아닌가.

나는 근본적으로 이러한 생각을 가지고 있다. 그리고 오늘 세상에서 말하는 소위 '부처'라 하는 것은 사람이 한세상 살아가는 데서 지어진 일종의 **'관계'**에 지나지 못하는 것이라 한다.

그렇다. '부처'라는 것은 사람이 살아가는 데서 생긴 일종의 '관계'이다. 그러면 오늘날은 그 '관계'들은 과연 무엇으로써 맺어 있느냐. 다른 사람들의 것은 고사물론[2]하고라도 우선 나라는 남자와 나의 '아내'라는 여자와의 지금 맺어가고 있는 소위 '부처'의 '관계'를 보면 어떠한가. 섭섭하나 숨기지 않고 말하면 '거만'과 '아첨'으로써 서로 엉클어져 있는 그밖에는 다시 아무것도 없다. 달리 말하면 나는 저(아내)를 내려다보고 저는 나를 쳐다보는 것밖에. 그래서 나는 내려다보는 저와, 저의 뱃속에서 생긴 자녀들을 거느리고, 저는 쳐다보는 나(남편)와 나의 친속들을 섬기는 밖에 다시는 아무러한 관계가 없다. 나는 저를 내려다보며 거느리는지라 저를 먹이고 입히고 사랑하고 미워하고 욕하고 때리고 때로는 강간까지도 하며, 저는 나를 쳐다보며 섬기는지라 나를 공양하고 위하며 아첨하며 원망하며 의심하고 샘하는 등 우리 부처 간의 관계는 친밀[3], 애증, 음란, 압박, 굴복 등의 모든 무리[4]며 추악으로만 지

---

2) 고사물론(姑舍勿論): 여러 자료를 검색한 결과, 고사물론(姑舍勿論)의 사(舍)는 버릴 사(捨)의 약자임을 확인하였다. 그러므로 여기서는 '고사(姑捨)'의 의미로 이해하면 적절하다.(역자) 고사(姑捨)하다: 어떤 일이나 그에 대한 능력, 경험, 지불 따위를 배제하다. 앞에 오는 말의 내용이 불가능하여 뒤에 오는 말의 내용 역시 기대에 못 미침을 나타낸다.
3) 원 표기: 친릴(親昵) [일본어] しんじつ

어진바, 여기에다 근원을 대고 나날이 자라가는 나와 나의 아내, 또 나의 자녀들의 심리이며 행사(行事)5)는 정말 말할 수 없는 괴괴망측한 것이 되고 만다. 이것이 나의 집안만 그러냐 하면, 그런 것이 아니라 나보다 돈푼이나 더 좀 있고, 또 부처의 한편 되는 아내가 나의 아내처럼 무식하거나 밉지도 아니한 말 하면 서로 마주 앉아 연애소설 권이나 볼만하고 피아노(삼현금)6)이나 탈 만하고, 한 주간에 몇 번씩 자동차 동부인7) 산보나 할 자이면 그 속의 '거만·아첨'이란 것은 더욱더욱 심한 것이 있다. 이보다도 무서운 것은 이 끔찍한 부처의 관계는 그 영향이 부처 두 사람 사이에서 끝나는 것이 아니라 그 영향은 연줄연줄 달리어 부자 형제에 미치며 사회 민족에 미쳐 이놈의 불가사리(송도 말년의 그것과 같은)8)는 온 세상을 뒤말아9) 그르치고야 말게 되었다.

그러면 이놈의 부처관계란 것을 어떻게 달리 꾸밀 수가 없을까. 설혹 달리 꾸미기까지는 못할지라도 우선 이에서 생기는 악폐10)를 광정11)할 수가 없을까.

---

4) 무리(無理): 도리나 이치에 맞지 않거나 정도에서 지나치게 벗어남.
5) 행사(行事): 어떤 일을 시행함. 또는 그 일. '성교'를 비유적으로 이르는 말.
6) 삼현금(三絃琴): 세 줄로 된 현악기. 고려 예종 11년(1116) 송나라에서 들여온 아악기의 하나인데, 조선 시대에는 전하지 않는다.(출처: 한국고전용어사전) 글이 쓰인 시기를 반영했을 때 여기서 말하는 삼현금은 일본의 '샤미센'일 확률이 높을 것으로 사료된다. 샤미센(三味線)은 일본의 발현악기인데 중국 삼현에 기원을 두고 있으며, 이 악기가 16세기에 오키나와를 경유해 전해진 후 개량되었다.(출처: 두산백과)
7) 동부인(同夫人): 아내와 함께 동행함.
8) 송도 말년의 불가사리: 마구잡이로 아무 일이나 저질러 감당할 수 없는 사람을 빗대어 이르는 말.
9) 뒤말다: 함부로 마구 말다. 어지럽게 뒤범벅을 만들어 놓다.
10) 악폐(惡弊): 나쁜 폐단.
11) 광정(匡正): 잘못된 것이나 부정(不正) 따위를 바로잡아 고침.

이 세상에는 법률이란 것이 있어 사람의 마음 바깥에 나타난 행위를 바로잡는다 한다. 또는 윤리, 도덕이란 것이 있어 사람의 마음 깊은 속에 엎드려있는 나쁜 싹을 잘라버린다고 한다. 그러나 오늘의 법률 도덕은 어떠한가. '집'이라고 하는 그것의 필요를 인정하는 동시에, 그 '집' 안에서 생기는 모든 일에 대해서는 그저 눈을 감겠다고 한다. 아니 눈을 감고 있는 것을 가장 당연한 것이라고 한다. 나는 벌써 몇 번이나 나의 아내를 욕하고 때렸다.

-[차간 3행 삭제]-

이것뿐이냐. 나는 몇 번이나 그에게 아첨과 굴복을 요구하였다. 그러나 내가 읽은 소위 종래의 성경현전[12] 어느 패지[13]에서 그것이 나쁜 짓이라는 말뜻을 발견하지 못하였다. 그것이 나쁜 짓이라고 말하지 아니하였을 뿐이냐, 도리어 남편은 아내의 장수가 되라는 둥(부위부강) 아내는 남편을 쫓으라는 둥(적인종부)[14] 도리어 나는 나의 아내를 아무렇게 해도 관계치 않겠다는 교촉[15]을 받았을 뿐이다.

이것이 대체 어떻게 하자는 일들이냐. 남들의 생각은 어떤지 내가 모르거니와, 나로서 나의 '아내'를 쳐다볼 때, 또 내심으로 나의 '아내'에 대한 마음성을 쪼개어 볼 때, 나는 도저히 그 전대로는 지낼 수 없는 것을 알았다. 정말 지낼 수가 없다. 그와 같이 내가 저(아내)를 무시하고 압박하고 편애하고 강간하고서는 도저히

---

12) 성경현전(聖經賢傳): 유학의 성현(聖賢)이 남긴 글. 성인(聖人)의 글을 '경(經)'이라고 하고, 현인(賢人)의 글을 '전(傳)'이라고 한다.
13) 패지(牌旨): 선 시대에, 지위가 높은 사람이 낮은 사람에게 권한을 위임하던 공식 문서. 특히, 양반이 노비에게 금전 거래를 대신하게 하던 위임장을 이른다.
14) 재가종부 적인종부(在家從父 適人從夫): 집에서는 아버지를 따르고 시집에는 남편을 따른다.(소학 명륜편 67)
15) 원 표기는 교촉(教嗾). 교촉(教囑): [북한어] 남이 부탁함을 높여 이르는 말.

지낼 수가 없다. 그가 무슨 내게 대하여 반항을 해서 그렇다는 것이 아니라 그가 나의 모든 행동을 순순히 용인할수록, 나는 자꾸자꾸 불안, 고통을 느끼게 되었다. 나라는 이놈의 심리가 자꾸자꾸 비뚤어지는 듯싶고, 나라는 이 몸뚱이가, 그냥 그냥 죄악의 뭉치가 되어가는 듯싶었다. 그래서 나는 맨 처음으로 언어에 있어, 행동에 있어 그를 정말 하느님 같이 공대하여 항상 사람들이 이야기하는 '인격과 인격'과의 관계를 만들려 하였다. 그렇게 힘써본 결과는 아주 섭섭하지는 않아서 그에 대해서 가끔가끔 반말을 쓰게 되던 말투는 아주 공경하는 말을 쓰게 되며, 그밖에도 보통 경우에 있어는 꽤 수수하게 지내게 되었다. 오늘 유행하는 말투를 빌려서 쓰면 나도 꽤 여자를 해방한 셈이 되었다. 적어도 도덕적으로는 그를 해방한 셈이 되었다.

사람들아, 그러나 어찌 하리요. 그(아내)에 대한 도덕적 해방이 그에 대한 무슨 구원이 되리요. 아니 나 자신의 사상이나 행동을 바르게 하는데 무슨 힘이 되리요. 속담에 '얼러가면서 무엇 먹인다.'는 말이 있다. 내가 나의 아내에 대해서 어찌어찌한다는 것은 결국 얼러가면서 그를 어떻게 하자는 수작에 지나지 못하는 것임을 알게 되었다. 나는 두 번째 놀랐다. 오늘 세상에서 소위 여자를 해방하고 그에게 자유를 준다고 떠드는 패들, 다시 말하면 소위 자유주의자들이 하는 짓들이 과연 얼마나 여자라는 사람을 속이고 모욕하여서 길이길이 정말로 해방을 얻지 못하게 하는 것임을 생각할 때, 나는 참으로 놀랐다. 그동안 나의 반지버리16)생각(여자에 대한 소위 도덕적 해방)이 비록 잠깐 동안이나마 얼마나 나를 속

---

16) 반지버리: (함남 방언) 이도저도 아니고 어중간하게.

이고 나의 아내를 속임이 되었는가 할 때, 나는 스스로 나의 되지 못한 인격 주인을 비웃지 아니치 못했다.

바른 생각이냐 틀린 생각이냐, 아니 내가 더 착해지는 셈이냐 악해지는 셈이냐. 나는 부처의 관계에 대하여 즉 나의 '아내'와의 관계에 대하여 다시 이와 같이 생각하게 되었다.

오늘날의 '부처관계'란 그것은 꼭 두 가지의 요소로 이뤄진 것이다. 한편이 남자요, 한편이 여자로 하여 온전히 '성'의 관계로써 서로 얽히게 된 것이 그 하나이요, 이와 같이 두 개의 다른 '성'이 서로 합하게 했으니, 이 두 내외의 먹고, 입고하는 문제는 어찌할까 하여 또 한 번 살림의 관계로써 엉키게 되는 것이 그 둘째이다.

원틀[17]로 말하면 부처의 관계에 있어서는 성적관계가 제일이오, 먹고 입는 관계와 같은 것은 문제도 될 것이 없는 것이나, 오늘날에 있어는 성의 관계는 오히려 둘째나 셋째이오, 부처 간의 먹고 입는 문제가 첫째로 서게 되었다.

자세히 말하면 이즘 세상 사람들은 자기 부처의 관계에 있어 혼인이란 그것과 생활이란 그것을 뒤섞어가지고 한 사람의 남자와 한 사람의 여자가 서로 혼인한다는 것은 한 사람인 남자의 살림과 한 사람인 여자의 살림 즉 두 개의 온전한 살림이 서로 합쳐서 하나가 되었다는 것으로 작정하고 그다음부터는 그 살림의 주인은 남편이란 그자가 되는 동시에 여편네란 그 사람은 남편이 주장하는 그 살림 속에서 스러져[18] 없어지는 한 개의 무능력자, 무능력

---

17) 원틀: (평북 방언) 워낙(유의어: 원체, 원래, 원판 등).
18) 스러지다: 형체나 현상 따위가 차차 희미해지면서 없어지다.

자라 함보다도 아주 한 놈의 종이 되고 말았다.

　이 버릇이 몇백 년을 지내고 몇천 년을 지낸 오늘에 미쳐는, 사람들은 부처의 관계란 의례[19]히 그러한 것이니라 하여 남자란 남자는, 여자란 어떤 깨끗한 사람과 같이 사는 것이 아니라 훌륭한 종의 딸년과 같이 살림을 하되 양심에 부끄러워할 줄 모르며, 또 여자란 여자는 남자라는 어떤 온전한 사람과 같이 사는 것이 아니라 더 사람팔이 하는 종 장사 같은 무리와 일생 동거를 하되 여기에서 뛰어날 줄을 모르게 되었나니, 생각이 이에 이르면 누가 **뼈짬**[20] 이 서늘치 않으리오. 우리는 가끔 신문지의 제 삼면에서 어떤 자는 자기의 여편네를 팔아먹었다느니, 또 혹 어떤 자는 남의 여편네를 꾀어 팔아먹었다는 등의 기사를 볼 수 있나니, 이것은 오늘날의 부처관계를 가장 잘 설명한 한 실례에 지나지 못하는 것이거니와, 가만히 생각하면 오늘날 부처관계에서 남의 남편 된 남자 치고 비부[21]되지 않을 자 과연 몇 사람이며, 남의 여편네 된 여자 치고 종년 되지 않은 자 또한 몇 사람이겠느냐.

　어찌했든 나는 비부는 될 수 없다. 그런데 나의 집에 있는 나의 '아내'란 여자를 돌아보면 이것은 갈데없는 종이다. 그런 즉 우리 집의 종이오, 매일 '나'라는 자의 종이다. 종과 같이 사는 나는 무엇이냐, 종의 남편 비부밖에 더 될 것이 없겠다.

---

19) 의례(依例): 전례에 의함.
20) 원 표기: 쌔쌈. 뼈짬: 뼈마디(출처: 오픈국어사전, '큐피드'). 뼈짬의 예시: 1. 우선 부러진 뼈짬을 맡물리노라고 잡아다니며 주부르기 시작하니 준길은 온몸을 뒤틀며 "아이고" 소리의 비명이 연발한다.('병신', 송순일, 동아일보 1926. 12. 21.) 2. 누우면 가슴이 눌리고 뼈짬을 흘러내리는 병과도 같고 아픔과도 같은 피곤이었지만 ('야한기', 허준, 조선일보 1938. 9. 4.) 3. 들리는 삽(鍤) 소리 뼈짬에 사무치게 들리며 한 이랑씩 두 이랑씩 개척해 나아간다.('해방된 신여자에게', 개상 TN생, 동아일보 1920. 5. 17.)
21) 비부(婢夫): 계집종의 남편.

비부. 나는 정말 비부는 될 수 없다. 그러면 어찌할꼬. 나의 '여편'네를 오늘의 부처 관계로부터 끄집어내어 그로 하여금 한 개의 온전한 사람이 되게 하는 수밖에 없다. 다시 말하면

오늘날의 부처관계에서 성적관계 그것과 생활관계란 것을 뚜렷하게 갈라놓고 성적관계에 있어는 그것은 같이한다 할지라도 생활관계에 있어는 서로 독립하게 하여야 할 것이다. 그래서 남편이란 내가 그의 살림까지를 맡아 해주지 말아야 할 것이다. 왜 그러냐고 하면 내가 그의 살림살이를 맡고서는 그의 몸뎅이나 영혼까지라도 내가 맡지 않을 수 없는 까닭이오, 만일 내가 그의 몸뎅이나 영혼까지를 맡아놓고는 맡은 것을 내 마음대로 하지 않을 수가 없는 까닭이다. 다시 말하면 그를 종으로 알지 않을 수가 없는 까닭이다. 내가 종으로 알고 그가 또 종으로 자처하면 나는 결국 비부가 되는 것이다.

여기에서 나는 단연히 나의 아내에 대하여 생활독립의 문제를 제출하였다. 문제의 '부처 간 싸움'은 여기에 일어날 것이다. 즉 나는 나의 아내를 종으로부터 사람이란 자리에 승급하게 하려 하고 나의 아내 되는 그는 사람도 무엇도 다 싫고 오직 종노릇 하는 것만 내 직분이니 이대로만 지내겠다 하는 거기에서 우리 부처 간 싸움은 시작된 것이오, 지금도 자꾸자꾸 계속되는 판이다.

이 싸움이 결국 어떻게 될 것인가 또는 이 싸움의 실제에 싸우는 꼴이 어떠한 것인가 여기에 대해서는 문제를 고쳐가지고 이 뒤로 다시 쓰겠는데, 그때까지 기다릴 수 없어서 우선 한 말 하고 싶은 것은 이즘에 제집에서 곡식 섬이나 타작하고 중학교 전문학교깨나 졸업한 놈들이 연애 자유이니 인권평등이니 하는 좋은 이름 밑에서 지금 데리고 있는 종은 예쁘지도 못하고 영리하지도 못

하니 글자도 좀 알고 얼굴도 반반하고 피아노라도 좀 탈 만한 고러한 종들 얻어 보겠다고 있는 돈푼을 뿌려가면서 전 아내와 이혼을 하느니 새 첩을 얻어 들이느니 또는 새 여자에게 혼인을 구하느니 하는 그자들의 추태이며 또는 이즘에 소위 공부했다는 여자로서 신가정이니 이상적 가정이니 하면서 자진하여 있는 자의 집의 호사하는 종이 되려 하는 그것들이다. 생각하여라. 생활의 독립이 없이 해방이 어디에 대한 해방이며 자유가 무엇 말라죽은 자유이더냐.

조선 신여자에 대한 나의 의문: 춘파(박달성)

내가 당신들 신여자에 대해서 의심을 가짐과 같이 당신들 여자 편에서도 우리 남자에 대한 의심이 있겠지요. 없다고 할 수는 없겠지요?

내가 당신들에 대한 의심을 공공연히 말함과 같이 당신들도 우리에 대한 의심을 마음에 있는 대로 말해주면 두 편이 다 이익이 될까 합니다. 의심이 있거들랑 숨기지 말고 털어 내놓는 것이 두 편이 다 마땅히 할 일이라 합니다.

○ 나는 당신들을 대할 때에 문득 의심나는 것은 겉과 속이 같은가 아니 같은가? 그것이 의심이외다. 겉은 그럴듯하다만 속이 어떤는지? 빛 좋은 개살구나 아닌지? 하는 의심이 자꾸 나게 됩니다.

아닌 게 아니라 당신들은 겉으로 보아 매우 훌륭해 보입니다. 누가 감히 소홀히 보지 못하리만치 그렇게 훌륭해 보입니다. 나는 이 말을 또 하게 됩니다.

일본 어떤 대학생 한 아이가 조선에 나와 모든 것을 시찰하고 가서 그 감상 중에서 첫째로 뽑아 내세우는 것이 당신들 신여자의 칭찬이었다 합니다. "조선에 나아가보니까 모든 것이 다 너절해[22] 보이고 늘큰해[23] 보이고 씨가 아니 들어 보이는데 그 중 여학생 뿐은 매우 똑똑해 보이고 활발해 보이고 아름다워 보인다."고. "트레머리[24]를 보기 좋게 하고, 깜장 치마 흰 저고리에 굽 높은 구두

---

22) 너절하다: 허름하고 지저분하다. 하찮고 시시하다.
23) 늘큰하다: 꽤 물러서 늘어지게 되다.
24) 트레머리: 가르마를 타지 아니하고 뒤통수의 한복판에다 틀어 붙인 여자의 머리.

에 책보를 끼고 종로 네거리에 활발히 씩씩하게 왔다 갔다 하는 것이 누구보다 가장 보기 좋더라."고 일본의 신여자보다 훨씬 나아 보이더라고 하였다 합니다.

아닌 게 아니라 당신들은 거리에 내놓고 보면 누구보다도 아름답고 깨끗하고 활발하외다. 밉다든지 늘큰하다든지 너절하다는 생각은 누구든지 못 가지리만치 되셨습니다.

"겉 꼴, 속 꼴"이라고, 겉이 그렇게 훌륭함과 같이 속도 그렇게 훌륭하겠지요? 그러나 그러나 의심이외다. 종시25) 의심이외다. 마침내 빛 좋은 개살구라는 생각이 나게 됩니다.

저들의 속에 확실한 **주의 주장**이 있을까? 저들의 속에 풍부한 **지식**이 들어있을까? 저들의 속에 과연 **사람**으로의 **독특한 개성**이 있을까? **독립**으로 **제힘**으로 **살아갈** 만한 **기능**이 있을까? 남을 공연히 의심하는 것 같지만 그런 것 같지 않다는 생각이 자꾸 납니다.

○ "그러면 당신들 남자들은 겉과 속이 꼭 같고, 주의 주장이 확실히 세고, 사람으로의 독특한 개성이 분명히 박혀있습니까? 공연히 여자만 가지고. 내원, 남자들도 그런가 봅디다. 무엇이 능하기에. 우리 여자가 무엇이 어떻기에. 공연히 쓸데없는 말을." 하고 당신들의 반박이 있을 줄도 압니다. 아닌 게 아니라 오늘날의 우리 남자 측도 그러한 의심이 없지 못합니다. 그러나 이는 별 문제로 하여 당신들의 비판을 기다릴 밖에 없고요.

어쨌든 당신들에게는 의문이 자꾸 갑니다. 만날 때마다 의문이외다.

○ 길을 가다가 길을 잘못 들어 혼자 머뭇거릴 때, 당신들을 만

---

25) 종시(終是): 끝까지 내내.

나면 사람이니까 의례 묻겠지만 의심이 덜컥 나서 못 묻습니다. 묻다가 망신이나 아니 당할까 "하고많은 사람 중에 굳이 남의 집 여자보고" 하여 눈을 깔고 살짝 피할까 봐서 못 묻습니다.

당신네 집을 찾았다가도 그러한 의문이 반드시 붙습니다. "사내들이 계신데 하필 여자보고 물을 것이……", "사내들이 안 계시니까……." 이따위 소리로 문을 딱 닫고 돌아앉을까 봐서 못 찾습니다.

당신들은 연단에 나서면 웬일인지 내 속이 간지럽습니다. 말에 구멍이 자꾸 뚫리는 것 같아, 얼굴이 빨개지는 것 같아, 실상 어려 보이는 것 같아 스스로 좌불안석이 됩니다.

당신들은 글을 쓰신다 해도 "무엇을 어떻게 쓰셨노? 그저 그렇고 그래?" 하고 우습게 보여집니다. 당신들은 독신생활을 한다 해도 "며칠이나 어디 보자?" 하고 우습게 보입니다. 당신들은 시집을 간다 해도 "웬걸 살림은 잘할고? 남편의 옆구리에 붙어 긁어먹기나 하겠지." 이따위 의심이 자꾸 납니다.

당신들은 아무리 의지가 꿋꿋해 보인다 해도 도무지 믿기는 어렵습니다. 웬일인지 그렇습니다. 그런데 신여자 여러분. 학생시대 또는 처녀시대에는 그나마 내외도 아니 하고 갈 데 올 데 마음대로 하고 퍽 씩씩하고 활발하더니만, 한번 시집만 가면 트레머리만 내리게 되면 왜 그 모양입니까? 왕고집[26] 묵은 여자, 무식한 여자보다도 더 심하게 세상과 사귀기를 부끄러워하며 직업에 나아가기를 싫어하며, 안방구석에 묻혀 내외만 하자고 듭니까? 그게 웬일일까요? 사내가 그렇게도 무섭습디까? 가정살림이 그렇게도 달콤하여 빠져나올 길이 없습디까. 내 원 아무리 생각해도 의문이외다.

---

26) 원 표기: 완고ㅅ집. 왕고집, 옹고집의 의미로 추측하여 어미가 비슷한 왕고집으로 번역했다.(역자)

그따위 예는 한이 없으니 그만해두고.

○ 당신들 중에는 왜 이렇다 할만한 문학자가 없습니까? 소설 하나 시 한 편을 쓰는 이가 없습니까? 당신네 중에는 왜 웅변가가 없습니까? 당신네 중에는 왜 학자가 없습니까? 실업가가 없습니까? 정치가가 없습니까. 왜 한 분도 없습니까? 노동자가 없습니까. 주의자[27]가 없습니까? 왜 그렇게 씻은 듯이 한 분도 없습니까?

영국 미국에는 여자로의 정치가, 외교가, 실업가, 문학가, 교육가, 주의자가 많다 합니다. 독일에는 여자 대의사[28]가 서른다섯이나 된다합니다. 토이기[29]에는 여자대신이 있다합니다. 그런데 우리 누님네 당신네들은 왜 한 분도 없습니까? 정치니 외교는 그는 아직 두고, 장사 하나 똑똑히 하는 이가 왜 없으며, 글 한 줄 똑똑히 쓰는 이가 왜 없으며, 말 한마디 똑똑히 하는 이가 왜 없습니까? 지금 배우는 중에 계십니까? 장차 나오렵니까? 나설 때 나서더라도 우선 의문이외다.

전체가 의문이외다. 아— 어찌하면 우리에게 이러한 의문이 풀릴까요? 허튼소리 얼빠진 소리로 알지 말고 한번 속 깊이 들어주면 좋겠습니다. 하다못해 여자의 모욕이라고 발끈 성이라도 한번 내시면 좋겠습니다. 나는 절대 충동적으로 한 말이 아니라 구구절절 사실대로의 의문이었기에 널리 물었습니다. [끝]

---

27) 주의자(主義者): 어떤 주의를 믿고 따르는 사람.
28) 대의사(代議士): 현재의 국회의원을 이르는 일본의 옛 단어.
29) 토이기(土耳其): 튀르키예의 음역어.

[사회운동에 힘쓰는 서양 여학생] 내가 본 구주30) 여학생: 이관용31)

구주 여학생 생활에 대하여 알고 싶다는 청이 있다.

풍부한 문화생활이 길러준 현대 구주 여학생의 복잡한 생활을 정밀히 기록할 수는 없으나, 내가 실제에 보고 들은 것을 잠깐 적어보겠다.

서서32) '취리히'대학은 실로 세계적이라 구주 각국은 물론 남북미주33)와 심지어 아불리가34)와 아세아35) 각국에서까지 자녀를 보내어 전문교육을 시키는 곳이다. 그런 까닭에 이 대학에서 '세계'를 직접으로 대면할 수 있다. 이 대학에서 공부하는 여학생 중 수십여 인과 삼사년 간 매일 상종한 일이 있었다. 대개는 철학과(철학, 교육학, 사학, 덕문학, 나전계통문학36) 등) 학생이요. 그밖에는 법률, 경제, 의학과 학생이다. 구주 여학생의 다수는 의학과 교육학을 연구한다. 즉 질병치료와 유년교육을 여자에게 적당한 직업관으로 하는 구미37)의 사회생활상 일반 경향을 여기서 볼 수 있다. 최

---

30) 구주(歐洲): 유럽
31) 이관용(李灌鎔): 일제강점기의 독립운동가, 언론인, 교육자. 왕실 종친 가문에서 태어났으며 1921년 스위스 취리히 대학교에서 한국인 최초로 철학박사 학위를 받았다. 1925년 동아일보 특파원으로 모스크바를 갔으며 1927년 신간회 간사가 되었다. 일본의 기록에 의하면 '키 5척 2촌(약 157cm), 얼굴이 둥글고 살갗이 흰 편이며 중간정도의 체격이었다. 배일사상을 가지고 있으며 그 사상을 선전할 우려가 있다.'고 표시되어 있다.
32) 서서(瑞西): '스위스'의 음역어.
33) 미주(美洲): 아메리카의 음역어.
34) 아불리가(亞弗利加): 아프리카.
35) 아세아(亞細亞): '아시아'의 음역어.
36) 나전(羅典): 라틴
37) 구미(歐米): 유럽과 미국.

근에는 경제학 연구도 귀중히 여기는 추세가 있다. 특히 정치적 야심을 가졌거나 신문잡지 기자 노릇을 하려는 여자는 법률, 정치, 역사, 문학을 연구하고 예술에 헌신코자 하여 문학, 음악, 도화, 조각, 미술사를 연구코자 하는 여자는 대학 외에 각과전수학교38)에 입학함이 상례이다. 그러고 보면 구주 여학생은 농상공에 관한 학과를 남자보다 얼마쯤 적게 연구할 뿐이요, 그 외의 학과에 대하여는 남학생보다 조금도 손색 있게 공부하지 않을 뿐더러 졸업 후 취직에 대하여도 남자와 경쟁할 기초를 가졌다 하겠다.

체육에 대하여는 남자와 감히 경쟁할 야심을 갖지 못하나, 그러나 '가급적 나도 그만큼 해보겠다.' 하는 정신은 가졌다. 정구39)는 물론 '하키', '골프', '보트 레이스' 못하는 것 없이 다 한다. 이제는 남자의 바지를 입고 경마, 등산, '스키', 심지어 축구까지 하게 되었다. 남독일 모 시에서 만난 모 여학생은 엄동설한이라도 소위 '공기욕장'에서 양사40) 한 겹으로 된 옷만 입고 매조41) 30분 이상씩 '산도'식 근육체조42)와 '달크로즈'식 무도체조43)를 한다고 자랑하며 자기지체근육44)이 강화하여 자기와 약혼한 남자와 씨를

---

38) 전수학교(專修學校): 중·고등학교에 준하는 각종학교. 특히 상업·공업계의 기능을 전수하는 것을 목적으로 설립한 학교를 말한다.

39) 정구(庭球): 테니스. 과거에는 테니스와 소프트 테니스를 모두 정구라고 지칭했으나, 현재는 소프트 테니스를 '정구'라고 지칭한다.

40) 양사(洋紗): 가는 무명 올로 폭이 넓고 설피게 짠 피륙.

41) 매조(每朝): 매일 아침.

42) 산도는 독일 출신의 철아령 체조 보급자이다. 현재의 보디빌딩이 산도의 체조법을 많이 수용하고 있다.(출처: 체육학대사전)

43) 에밀 자크 달크로즈는 스위스 음악교육가이자 작곡가였다. 음을 신체의 운동으로 환원하는 리듬교육법인 **달크로즈 유리드믹스**를 창안하였다.(출처: 두산백과) 유리드믹스: 달크로즈가 창안한 형식. 조화로운 신체 동작을 추구하는 예술적 표현이 특징이다. 신체의 움직임을 통해 음악을 경험하고 학습한다. 음악의 흐름과 신체 흐름의 연관성에서 출발한 음악 교육 방법이며 20세기 무용 발전에 많은 영향을 끼쳤다.(출처: 세계무용사전)

44) 자기지체근육(自己肢體筋肉): 지체(肢體): 팔다리와 몸을 통틀어 이르는 말.

쾌전[45]을 하려고 나더러 유술[46]까지 가르쳐달란 일이 있었다. 그 외에 일상생활을 엄격히 규칙적으로 하여 시간과 활력의 경제를 정밀히 실행한다.

그러고 보면 구주 여학생이 어째 '왈패'와 같이 보이지만 그렇다고 생활의 실용적 방면을 무시함도 아니다. 학과를 마치면 반드시 다 각각 자기 가정에 돌아가 살림살이에 종사하니, 즉 그 부모되는 이가 어렸을 적부터 가정경제를 실습시키는 것이다. 서양여자는 살림살이를 돌아다보지 않고 다만 사교생활 상 남자의 노리개 노릇을 한다함은 동양여자의 부러워하는 것이나, 그것은 서양 사정을 모르는 말이다. 중류 이상의 부호 가정부인이라도 자기 집안 경제를 무시하는 것은 이 글 쓰는 사람이 10년간 구미 각국에 돌아다녀도 한 번도 본 일이 없다. 일찍이 서서에서 오국[47] 모 백작 가정에 놀러 다닐 때, 그 백작부인이 친히 찬간[48]에서 자기의 장성한 영애에게 과자 만드는 법을 보여주는 것을 보았다.

구주 학생은 사교생활도 교육의 중요한 부분으로 안다. 우선[49] 사교생활상 필요한 것은 미려한[50] 의복이다. 구주 여자에게는 의복이 양심 문제이다. 자기 의복이 최신 유행에 맞지 않으면 무슨 죄나 저지른 것처럼 감동한다[51]. 이것이 물론 천박한 허영심이라 웃음 받을 일이지만, 그러나 그들은 사치를 이용하여 미적 취미를 발전시킨다. 의복 입은 것 보고 취미를 볼 수 있다. 아무리 덕행이

'자기지체근육'은 '온몸 근육'이라고 이해하면 적합할 듯하다.(역자)
45) 쾌전(快戰): 통쾌하게 승리한 싸움.
46) 유술(柔術): 유도.
47) 오국(墺國): 오스트리아.
48) 찬간(饌間): 집에서 반찬을 만드는 곳.
49) 원 표기: 위선(爲先)
50) 미려(美麗)하다: 아름답고 곱다.
51) 감동(撼動)하다: 이리저리 뒤흔들다.

갸륵하고 아무리 지식이 많아도 취미가 고상치 못하면 구주 여학생 사교생활에 참여도 못 한다. 사교생활은 남의 취미 보고 내 취미 자랑하고 일반의 취미를 향상시키려고 생겨난 것이라 해도 무방하겠다. 정치상이나 혹 학술상 의견을 교환함이 없지 않으나 영국 귀족 계급의 사교생활에는 학술상 담화를 능멸하는 경향이 있다. 그러나 주악[52], 무도[53], 재담[54]이 사교생활의 중요한 성분이다. 이러한 기회에 남자는 장래 실인[55]을, 여자는 장래 남편을 선택하여 우의[56]가 친밀히 되면 공식으로 약혼하는 것이다. 사교생활의 명의로 남녀 간 불미한 일이 생기는 것이 왕왕 있지만, 그러나 동양에서 일반이 의심하는 것처럼 그다지 심하지는 않다. ○○처럼 성욕생활상 도덕이 문란한 곳이 세계에 희소하며 ○○학계의 악풍만 본받는 우리 학계는 악화되어간다는 평판이 있다. '악화'가 사실인지 아닌지 모르지만 여기 대하는 책임은 여자에게보다 도리어 남자에게 많다 믿는다. 구주에서도 소위 농애○○[57]의 결과로 악화되어 심지어 매춘부로 되는 사실을 조사하면 대개 남자의 죄악에 의하여 여자가 책벌을 당하는 것이다. 최근 구주 여학생계에서 분분한 쟁론을 일으키는 문제는 소위 '자유애(Free Love)' 문

---

52) 주악(奏樂): 음악을 연주함. 또는 그 음악.

53) 무도(舞蹈): 춤을 춤. 음악에 맞추어 율동적인 동작으로 감정과 의지를 표현함. 또는 그런 예술.

54) 재담(才談): 익살과 재치를 부리며 재미있게 이야기함. 또는 그런 말.

55) 실인(室人): 자기의 아내를 이르는 말.

56) 우의(友誼): 친구 사이의 정의(情誼: 서로 사귀어 친하여진 정).

57) 농애(弄愛): 희롱할 롱(弄), 사랑 애(愛). 농애는 이규보의 '동국이상국집 권5, 고율시'에 수록된 '우영귤(又詠橘)'에 등장한다. 첫 구절은 장중지농애단단(掌中指弄愛團團)인데, '손에 쥐고 굴리니 둥글둥글 사랑스럽다'로 풀이한다. 이 시구만 참고하면 농애를 희롱하는 사랑 정도로 해석할 수 있다. 그런데 희롱할 롱(弄)자를 구글 번역기로 검색하면 '성교하다'의 의미로 해석된다. 따라서 농애는 육체적 쾌락을 추구하는 사랑 정도로 볼 수 있겠다.(역자)

제이다.

다만 자유연애를 실행하려면 당사자의 자격이 문제이다. 이 자유를 남용하여 사회의 양풍58)을 악화하는 자는 자유연애에 대하여 무자격자라 할 수밖에 없다. 그러나 구주에서도 이 자유연애를 철저히 실행하는 자를 무수히 만나보았으나 실패한 자가 백 분지 구십구59)이다. 어떠한 여학생은 선악 대신에 미추60)를 자기 정신생활의 활동적 표준으로 삼고 전래적 도덕이 악하다 하더라도 미에 원반되지61) 않으면 행한다하고 남녀관계를 전래적 도덕의 권위의 범위 밖으로 해방하는 일도 있다. 여기도 필경은 자격이 문제이다. 요컨대 구주 여학생은 동양 여학생보다 완전한 자유를 향유하고도 사회의 정돈을 문란시키지 아니함이 사실이다. 이러한 성공은 그들이 자유를 남용치 않는 까닭이다. 그래서 모 여학생이 말하되 "자유를 요구하기 전에 반성 먼저 하여라. 네가 남용자가 아닌가." 하고.

최종에 부언62)할 것은 사회의 일 분자인 구주 여학생이다. 즉 그들은 학교에서 공부하고 가정에서 살림살이하며 운동이나 사교생활 하다가 다 각각 취직하거나 혼인하여 자기 일신 내지 자기 가정의 행복만 위하여 생활하는 것으로만 만족치 않는다. 여자도 남자와 같이 사회의 일분자(一分子)이므로 사회에 대하여는 권리와 의무가 있을뿐더러 인종 사회의 발전적 운명을 형성할 권력을 장악함이 자기 생활의 신성한 요구라 믿는다.

---

58) 양풍(良風): 좋은 풍속.
59) 백 분지 구십구(百分之九十九): 99%
60) 미추(美醜): 아름다움과 추함.
61) 원반(遠反)되다: 크게 반대되다.
62) 부언(附言): 덧붙여 말함.

평시에는 자선사업, 금주금연운동, 아동교육제도개혁, 공창폐지운동63) 등 소위 '평화적 사회사업'에 활동하며 전시에는 혹은 간호부가 되어 상한 자를 구호하며 혹은 정부 각국에 들어가 사무를 보조하며, 혹은 농장 혹은 공장에서 전지64)에 나간 남자의 업무를 처리한다. 노국65)과 덕국66)에서 혁명운동이 시작될 때 여자의 조력을 이용치 않았으면 혁명의 성패가 문제 될 뻔 하였다 한다. 덕국의 공산당 수령이던 '로자 룩셈부르크'67) 현금68)에도 세계적 명성이 자자한 '클라라 체트킨'69) 등은 세계적 인물이다. 서서 '취리히' 대학 철학과 여학생 중에도 일편으로 청강하러 다니며 타편(他便)으로 빈민구역에서 사회주의운동에 노력하더니 1918년 11월에는 일종혁명(一種革命)70)을 일으키다가 관군의 병기에 중상을

---

63) 공창폐지운동(公娼廢止運動): 1916년 일본이 확립한 공창제를 폐지하기 위해 기독교계를 중심으로 전개한 사회 운동이다. 1919년 선교사가 최초로 공창 폐지를 주장했고 1920년대 중반부터 본격 전개되었는데 기독교 여성들이 강연회 개최, 선전 시위, 논설 게재 등의 활동을 벌이며 공창 폐지의 당위성을 설파하며 성매매 여성 구제에 힘썼다. 공창은 1948년 미군정청에 의해 폐지되었다.

64) 전지(戰地): 싸움을 치르는 장소.

65) 노국(露國): 예전에, '러시아'를 이르던 말.

66) 덕국(德國): 예전에, '독일'을 이르던 말.

67) 로자 룩셈부르크(Rosa Luxemburg): 독일에서 활동한 폴란드 출신의 사회주의 이론가, 혁명가. 폴란드사회민주당과 스파르타쿠스단, 독일공산당의 조직에 핵심적인 역할을 한 인물이다. 1919년 1월에 발생한 2차 독일 혁명 때 체포되어 처형당했다. 저서는 『자본축적론』, 『러시아혁명』 등이 있다.

68) 현금(現今): 바로 지금.

69) 클라라 체트킨(Clara Zetkin): 독일의 여성해방운동가. 독일사회민주당에서 문화운동과 여성운동에 힘썼다. 1892~1916년 사회민주당 여성지 『평등 Gleich heit』을 창간, 편집했다. 1907년 최초로 국제사회주의여성회의를 개최하여 국제적으로 반전운동을 전개했다. 1920년부터 연방하원에서 활동했고 1932년 8월 국회 임시의장이 되어 230명의 나치스 의원단 앞에서 반(反)파쇼통일전선의 결성을 호소한 일이 유명하다.

70) 11월 혁명: 제1차 세계대전 말인 1918년에 일어난 독일의 혁명이다. 그 뒤 여러 혁명이 진행되다 사회 민주주의 정권이 승리하여 바이마르 공화국의 기초가 굳어졌다.(출처: 학생백과 'Basic 고교생을 위한 세계사 용어사전')

받는 것, 옥중에서 수 3년간 징역 하는 것을 목도한 일도 있다. 이렇게 처벌당한 여학생 중 한 사람은 파란[71] 여자인데 귀국하여서도 활동하다가 또다시 옥중생활 한다는 소식을 들었다. 구주 여학생의 철저한 정신생활은 실로 경애치 아니치 못할 것이다.

구주 여학생계에도 물론 결점은 있을 것이다. 그러나 남의 결점을 아는 것은 나의 결점을 용서할 염려가 있다. 우리는 우리 결점부터 찾아낼 것이다. (끝)

---

71) 파란(波蘭): '폴란드'의 음역어.

조각보

요새 길에 나가면 그전보다 한층 더 보기 싫어진 것이 있더군요. 작년 봄까지는 여학생들이 머리를 모두 틀어 올렸더니 요새는 모두 땋아 늘였어요. 땋아 늘인 것이 통틀어놓고 보기 싫다는 것도 아니요. 틀어 얹은 것이 통틀어 놓고 보기 싫다는 것이 아니에요. 작년에 틀어 올렸을 때는 12살, 13살씩 된 사람도 틀어 올려서 조그만 사람이 얄밉게 보이더니 요새는 그저 한 삼십 가까이 바라보는 이도 모두 따 늘이니까 능글능글해서 던적스러워[72] 보입디다. 물론 각각 저를 위해 사는 세상이니까 각각 제멋대로 할 것이지만………. 나도 내 멋대로 지껄여보는 것이지만……….

= 팔극(유지영) =

◆ 조선에서 때때로 유행되는 보통 시체[73]도 빠르기로 유명한 기차 타고도 못 따라가겠지만 여학생들의 때때로 변하는 시체야말로 비행기 타고도 못 따라가겠다. 한참 동안은 재킷[74]이 꽤 유행되더니 그는 어떤 돌개바람[75]이 몰아갔는지 종적도 없고, 지금은 어떤 도깨비[76]의 장난인지 여학생이란 여학생은 하나 빠지 않고 모조리 목도리를 걸어놓았다. 정말 추워서 그런지, 실로 모양내려

---

72) 던적스럽다: 하는 짓이 보기에 매우 치사하고 더러운 데가 있다.
73) 시체(時體): 그 시대의 풍습·유행을 따르거나 지식 따위를 받음. 또는 그런 풍습이나 유행.
74) 원 표기: 짜겟. 당시 털실로 재킷을 떠 입는 것이 유행이었다. 1927년 10월 23일 조선일보에는 '짜겟트뜨는법' 이라는 스웨터 재킷을 뜨는 법을 설명하는 기사가 실렸다.
75) 돌개바람: 갑자기 생긴 저기압 주변으로 한꺼번에 모여든 공기가 나선 모양으로 일으키는 선회(旋回) 운동.
76) 원 표기: 독각이.

고 그런지, 남들이 하니까 그러는지 어깨로부터 치맛자락까지 서발 너발[77] 짜리의 빨간 또는 파란 목도리를 늘이고 다닌다. 정말 추워서 그럴까. 금년같이 구슬땀이 나는 시절에 춥기는 무엇. 분명 모양이야 모양. 겉모양보다 속살이 그렇게 나날이 달라져야 될 걸. 더구나 모양을 파는 매춘부가 아니고 배우는 학생이니까. (시비생)

사고[78]

본지 전 편집 겸 발행인 박달성 씨는 개벽 편집상 관계로
기임을 사하고 새로 방정환 씨가 편집 겸 발행의 책임을
지셨습니다.

-개벽사-

---

77) 발: 길이의 단위. 한 발은 두 팔을 양옆으로 펴서 벌렸을 때 한쪽 손끝에서 다른 쪽 손끝까지의 길이이다. 속담 '구멍 속의 뱀이 서 발인지 너 발인지': 아직 나타나지 않은 재능이나 감추어져 있는 사물은 그 정도를 판단하기가 매우 어려움을 비유적으로 이르는 말(출처: 우리말샘). 즉 서발 너발은 길다는 의미의 관용적 표현인 것으로 보인다. '발'의 다른 관용적 표현은 '입이 댓 발 나왔다'가 있다.(역자)

78) 사고(社告): 회사에서 내는 광고.

[여성 신인 평판기] 현하79) 조선 여자계의 누구누구: W생

◇ 신 알배터80) 씨

---

79) 현하(現下): 현재의 형편 아래. 주로 연설문 따위에서 쓴다.

80) 신알배터(申謁琲擄, 1880-1966): 고령 신씨. 1880년 10월 30일 서울 출생. 3자매 중 맏딸로 17세에 남평 문씨 4남과 결혼했다. 23세 성경학원에 입학하여 졸업했고 이화학당 기숙사 2대 사감으로 있었으며 한때 태화여자관 기숙사 사감으로도 일했다. 출산 후 남편이 보기 싫어 친정살이했으며 사별할 때까지 동거하지 않았다. 아들 명진은 20대에 중풍에 걸려 반신불수로 지내다 죽었다. 딸 순록은 수송·죽첨(금화)공립보통학교 훈도로 있다 폐(학질)를 앓아 죽었다. 신알배터는 부지런하고 극성스럽고 고집이 세고 불의에 유혹되지 않는 성격이었다. 일명 서울의 두 호랑이 할머니(한 명은 차미리사 씨이다.)로 불렸다. 1921년 4월 18일 '조선여자청년회'를 조직했고 회장으로 추대되었다. 발기인은 신알배터, 손정규, 성의경, 임영신, 방무길 등. 슬로건은 '조선 여자의 문화향상을 촉진하고 생활제도를 개선함에 노력하자!' 였다. 관수동 방무길의 사랑채를 빌리고 학생을 모아 1921년 5월 16일부터 무료로 초등교육을 실시했다. 당시 조선은 규수를 거리로 내보낼 수 없다 하여 여전히 집안에서 한학과 예의범절, 침선제절, 음식, 제수, 습의를 가르쳐 시집보냈다. 그러나 신랑이 유학을 다녀오면 이해성이 부족하고, 사회적 상식이 없어 말귀가 통하지 않고 위생관념이 없다는 등의 이유로 이혼문제가 제기되었다. 그래서 이러한 여성을 교육하고자 조선여자학원을 설립해 성인교육을 시행했다. 이곳은 상류가정의 부인과 노동자, 인력거꾼의 자녀 할 것 없이 입학하여 배우는 학교였다. 1923년 9월부터는 이범승이 지은 민간도서관(경성도서관)의 아동관을 빌려주어 이곳에서 수업했다. 방정환, 정홍교 등을 초청해 동화회도 열었고 주중에는 조선여자학원의 야학강습소로, 일요일은 조선여자청년회의 집회소로 제공했다. 교육은 모두 무료로 진행했고, 강사 또한 자진해서 교육활동에 참여하는 봉사활동 식으로 진행되어 신알배터는 없는 살림에 맨주먹으로 학원을 경영하는 상황이었다. 당시 화장실 청소까지 신알배터 혼자 했었다는 진술이 있다. 1924년부터는 조선여자청년회와 조선일보가 공동 주최하여 부인들이 여러 공공기관을 견학할 수 있도록 견학단을 조직했는데, 당시 여성들은 친척 집 경사가 있는 날 이라야 대문 밖으로 나설 수 있었던 것이 그 배경이다. 견학단은 초기에는 2~300명이었던 단원 수가 14회였던 1926년 4월 18일은 2500명을 넘었다고 한다. 1926년 4월 경성도서관이 경성부에 양도되어 신알배터는 학교를 차미리사가 경영하던 청진동 근화학교 자리로 이전, 앙현여학교라고 개칭하여 운영을 계속했다. 자신은 부끄러운 신숙주의 후예이나 주체 의식을 잃지 않겠다고 했다. 친일파 배경으로는 절대 학교를 경영하지 않겠다는 신념이 있었고 이를 지켜 20여 년 간 강습소를 운영했으나 결국 경영난의 문제로 폐교했고 조선여자청년회도 해산되었다. 신알배터의 노년은 이질 이종건이 20년

- 26 -

삼분의 일이나 넘어 허옇게 센머리를 아무렇게나 손쉽게 틀어
얹고, 짧도 길도 않은 검은 치마 위에 허리까지나 내려오는 듯싶은
큼직한 저고리를 입고, 조선버선에 누른빛 경제화[81]를 신고 다니
는 연세 많은 부인.

얼굴을 말하기에 별다른 특색은 없으나 눈자위가 좀 깊어 보이
고 모아 다문 입이 뾰족이 나온 것 같아서 얼른 흘깃 보기에는 아
무거로나 유난한 한 가지 성벽[82]은 가진 이 같아 보이나, 만나서
여러 가지 말씀을 들으면, 보면 볼수록 아무러한 고생이라도 헤엄
하여 나아갈 용자다운 위엄을 보이는 한편에 누구나 가진 아주머
니처럼 부드럽고 친한 맛을 가진 얼굴이다.

유시[83] 때부터 서울에서 양성여학교와 또 이화학당에서 공부를
쌓았고 다음에 어느 미국여자에게 따라 영어연구를 쌓은 후, 27세
부터 부인성서학원[84]을 비롯하여 현 태화여자관[85]까지 금년 16세

간 그녀의 식비를 제공해 노후를 봉양했다. 계동 2번지 중앙고등학교 뒤의 열
칸짜리 양철 지붕 집에 살았는데 1965년에는 대소변도 가누지 못하는 의식
혼돈상태였다. 4년째 그 집 안채에 전세를 사는 중동중고등학교 이보경 교사
내외가 그녀를 보살폈다. 1966년 3월 87세로 생을 마감했다.(출처: 추계 최은
희 전집 3 한국 근대 여성사 하, 최은희, 조선일보사, 1991)
81) 경제화(經濟靴): 예전에 신던 마른신의 하나. 앞부리는 뾰족하며 울이 깊고,
앞에 솔기가 없이 한 조각의 헝겊이나 가죽으로 만든 것으로 오른편짝과 왼편
짝의 구별이 없다.
82) 성벽(性癖): 굳어진 성질이나 버릇.
83) 유시(幼時): 어릴 때.
84) 성서학원(聖書學園): 현 서울신학대학교. 1907년 동양선교회의 전도 사업의
일환으로 전도사 양성을 위해 전도사 양성 교육기관이 필요했다. 1911년 3월
13일 서울 중구 무교동의 동양선교회 복음전도관에서 '성서학원'이 개교했다.
초대 원장은 토머스였다. 1912년 3월 서울 서대문구 충정로로 교사를 신축이
전했고, 학생의 증가로 1921년 5층 벽돌 교사를 신축했다. 1959년 2월 서울
신학대학으로 승격했는데 1972년 부천으로 교사를 신축 이전했다. 1921년
사용했던 건물은 아현성결교회가 사용하게 되었는데, 2001년 12월부터 성결
어린이집으로 사용하다가 안전상의 문제로 2011년 폐관 후 철거했다. 현주소
는 서울 서대문구 신촌로 331 아현성결교회이다.(출처: 한국민족문화대백과
'서울신학대학교', 아현성결교회 홈페이지 교회 소개, '옛 경성성서학원 사라진

에 이르는 동안 20년의 긴 세월을 교육에 헌신하여 20년 이하로 같이 나이 젊은 부녀 성력86)을 다하여 왔고, 그중에도 지금 조선여자청년회는 재작년 첫봄에 지나간 날의 조선여자들이란 말할 나위도 없었거니와, 근래의 소위 신여자라는 사람들은 대개는 종교 신자들인데, 그 사람들은 또 종교와 외국 사람이 손아귀 밑에서 제 정신 없고 제 주견 없이 거의 모욕에 가까운 절제에 눌려서 한심스런 일이 한두 가지뿐이 아닌지라, 이에 느끼는 일이 많아서 10여 년 쌓인 생각을 쏟아놓고 우리도 모든 온갖 위압에서 나와야 우리는 우리대로 우리의 인격을 찾고 우리의 갈 길을 우리의 손으로 열어나가지 않으면 안 되겠다고 반론하여 젊은 여자 동지들을 규합하여 그해 4월 초 8일에 창립한 것이라 한다.

그리하여 처음부터 교회 측에 반항하는 기세를 뻗은지라 그네 측의 후원은 새로 도리어 반겨 여기지 않는 중에 외따로 외따로 고생에 고생을 쌓은 지 3년째, 지금은 회의 정신과 사업이 상당히 그 뿌리를 박고 또 터가 잡혀서 회원은 80여 인이요, 그 교육부의 사업으로 사동경성도서관 안에 세운 부인야학은 40여 명 학생을 교수하는 중이요. 재봉부는 회원 실천 노력의 하나로 또한 꾸준히 하여 나가는 중이며, 이외에 특별사업으로 작년 9월 초순부터 시작하여 매주 토요일 밤마다 일반 부녀의 과학 지식보급을 위하여 개최하는 부인강좌는 가장 많은 효과를 내이는 중이라 여자청년회

다...보존 대책 미비 속 건물 안전상 문제'(노희경, 국민일보 2010.10.04.))
85) 태화여자관(泰和女子館): 현 이름은 태화기독교사회복지관. 태화여자관은 우리나라 최초의 사회복지기관이었고 1921년 초대 관장은 선교사 마이어스였다. 주로 여성 사회교육과 모자보건 등의 프로그램을 교육했다. 1995년까지는 인사동의 옛 순화궁터에 있었으나 현재는 서울 강남구 수서동에 건물을 신축하여 이전했다. 순화궁터의 건물은 현재 태화빌딩이 세워졌으며, 태화복지재단이 자리하고 있다. 주소는 서울 종로구 인사동5길 29이다.
86) 성력(誠力): 정성과 힘을 아울러 이르는 말. 성실한 노력.

의 활동과 신 회장의 노력이 여하히 비상한가를 탄복하게 한다.

회를 위하여 일꾼이 많은가, 그렇다고 돈이나 많은가. 회무처리, 야학사무, 부인강좌 등 여러 가지 번잡한 일을 홀몸에 도맡아가지고 이리 갈팡, 저리 갈팡 하면서 한시·잠시 앉을 사이 없이 분주한 씨는 그중에도 오전에는 태화여자관 교수가 있는지라 이른 아침 교수부터 밤 깊어서 야학 교수가 끝나기까지 참으로 눈코 뜰 사이가 없는 것이 사실이다.

그러나 그보다도 씨를 위하여 놀라울 일이 있으니 그의 댁에는 위로 어머님 한 분과 아래로 아드님 한 분 따님 한 분의 네 식구 살림인데 어머님은 80 노인이시고 아드님은 당년 28세 건만, 불행히 16세 시에 학교에서 체조 하다가 다쳐서 반신불수가 되었고 따님은 경성여자고등보통학교사범과에 통학시키고…… 이 불행한 살림 뿐으로도 적지 않은 고생이련만 그 생활을 홀몸으로 지탱해 가면서 밖으로 이 놀라운 활동이 있음은 그 정력과 노력이 어떻다 하랴. 실로 그는 뼈까지 피까지 전신 전심이 오직 붉을 정성 뿐으로만 엉킨 이가 아니면 안 될 것이라. 그가 늘 하는 말씀같이 "사람이 일에 미치면 딴 기운이 생기는가 봅니다. 저는 거의 미친 사람이에요." 하는 소리에도 다른 아무에게서도 볼 수 없는 위엄이 보인다.

"팔십 되신 모친과 반신불수의 병신 아들만을 집에 두고 살림할 딸과 내가 새벽 훤해서 나와서 밤 11시에나 들어가니 오죽합니까. 그러니 어쩝니까. 바빠서 미칠 지경이래도 먹을 벌이를 해야겠으니까 태화여자관에 안 갈 수도 없고, 청년회 일이라고 다른 사람이 보아주는 이 없으니 매사를 내 손으로 할 밖에 없지 않습니까. 강연회 한번을 하려해도 승낙 받으랴, 허가 맡으랴, 길거리에 붙이는 광고까지라도 일일이 내 손으로 붙이고 돌아다녀야 합니다 그려. 그렇게 애를 쓰고 해놓으니 누구라서 잘 모여들기나 합니까. 그 추운 겨울에 종로청년회관 문 앞에서 사람이 아니 모여서 혼자 서서 울기를 몇 번이나 했습니다. 그러면 어쩝니까. 그래도 해야지요. 제각기 그렇게 애써서 해야지요. 그저 모두들 그렇게 해야 됩니다. 죽을 때까지 그렇게 해야지요. 누구 합니까." 할 때 나는 그의 빛나던 눈에 눈물이 고인 것을 보았다.

아아 피에 끓는 부인! 정성의 권화[87]! 그의 눈앞에 꽃이 피우라. 열매가 보이리라.

◇ **김미리사[88] 여사**

조선여자교육회장 근화학원장 직함[89]으로만 보아도 누구에게 뒤떨어지지 않으리만치 지금 조선여자계로서는 그 이름이 그닥 잠겨 있지 아니한 김미리사 여사를 찾아보자, 알아보자.

그 이름이 누구라고 하는 거와 같이 그 인물이 상당하다. 오늘날의 조선여자로서는 그만한 인격과 그만한 상식을 가진 이가 별로 없다 해도 가할 듯하다.(부분적 전문 기술자는 이상이 물론 많

---

87) 권화(權化): 부처나 보살이 중생을 구하기 위하여 다른 모습으로 변하여 세상에 나타남. 또는 그 화신.
88) 김미리사(金美理士): 차미리사 (車美理士). 일제강점기 근화여학교 교장, 근화학원(현 덕성학원) 재단 이사장 등을 역임한 교육자. 여성운동가. 미리사는 세례명이고 아버지 성함은 차유호이다. 1895년 김진옥과 결혼하여 남편의 성을 따라서 김미리사로 활동하다가 1936년 58세 때부터 차미리사라는 이름을 공식적으로 사용했다.(출처: 한국민족문화대백과사전, 디지털도봉문화대전 '차미리사')
89) 원 표기: 견서(肩書). 견서: [일본어] かたがき. (세로로 쓴 명함·서류 등에서) 성명 오른쪽 위에 직위·직함 등을 쓰는 일; 또, 그 직위·직함.

겠지만) 또는 그의 사회 봉공[90]의 성의가 그만큼 간절함과 같이 그의 여자교육 중심한 활동이 또한 적다할 수 없으며, 따라서 그로 인하여 수확[91]된 사회의 공적도 다 할 수는 없다. 무엇보다 먼저 그를 떠들어 높이기는 어떤듯하나 그러나 높여놓고 보자.

여사는 다한한[92] 사람이다. 고생이 많은 사람이다. 어릴 때부터 48세의 오늘에 이르기까지 늘 역경에서 혼자 헤엄쳐왔다. 장부라면 장부요, 독한 여자라면 독한 여자라고도 할 수 있다.

그는 서울의 한구석인 공덕리 차씨 집에서 났다. 무남독녀로서 16세까지는 곱게 자랐다.

16세 때 김 씨 문으로 출가가 되었다. 남녀의 정을 알만하고 세상의 맛을 짐작할 만할 청춘이 바야흐로 무르익어 꽃이 피고 잎이 푸르러 인생으로의 정이 3월 격인 19세 때 그만 남편을 저 멀고 오래 다시 만나지 못할 길로 작별하였다. 홀몸이 되었다. (성은 남편의 성 그대로)

에라, 시집은 다시 가면 무엇하며 살림은 다시 차려 무엇하니. 넓은 천지에 나 혼자 자유로이 왔다 갔다 하겠다. 그러나 외로우니 하느님이나 믿자. 예수나 믿자. 그로써 위안을 얻자.

이러하여 그는 믿었다. 그럭저럭 25세가 되었다. 청국으로 갔다. 호주에서 4개 성상[93]을 지냈다. 다시 한번 뛰어 태평양을 건넜다. 미국에서 9개 성상이나 지냈었다. 공부에 열중하다가 병마에게 지독한 해를 받았다. 보국회에도 열중하였고 신학에도 열중하였다. 그러나 미국의 9개 성상도 그만 발뒤축이 되었다. 향토가 그리우

---

90) 봉공(奉公): 명사 나라나 사회를 위하여 힘써 일함.
91) 원 표기: 수획(收獲)
92) 다한(多恨)하다: 여러 가지로 한이 많다.
93) 성상(星霜): 별은 일 년에 한 바퀴를 돌고 서리는 매해 추우면 내린다는 뜻으로, 한 해 동안의 세월이라는 뜻을 나타내는 말.

니 어찌하랴하여 조선으로 나왔다.

향토에 들자마자 그는 배화학교의 몸이 되어 10년이나 지냈었다. 배화를 나오자마자 곧 조선여자교육회를 만들었다. 교육회를 만들자마자 벌써 실지 교육에 착수하여 양가의 부녀를 모아 가르쳤다. 지난봄부터는 근화학원이란 명패 아래에서 주 야학을 설하고 부녀자 200여 명을 모아 지금까지 가르친다.

그는 열정이 있다. 참을성이 있다. 하겠다는 마음이 있다. 그만한 역경을 지내기에 얼마나한 눈물과 얼마나한 피를 뿌렸을까. 그는 병신이다. 신경쇠약에 걸렸다. 귀머거리가 되었다. 누구와 말을 하다가 요령94)을 잃고 한참씩 멍하니 앉아 있다. 누가 무어라 물으면 손을 귀에 대고 고개부터 내여민다. 그는 신경질이다. 방금 웃다가 방금 우는 때가 있다 한다. 그는 이야기를 잘한다. 이야기가 끝이 나오면 끝과 끝이 맞물고 있다. 그는 한 패사95)이다.

그의 키는 크지도 작지도 않은 쑬쑬한96) 키이며, 그의 몸집은 근 30년(近三十年)이다. 홀몸으로 동서에 표류하면서 고생을 거듭하여 그런지 똥똥치 못하다. 얼굴은 둥글기보다 길쭉하며 반나마97) 늙었으나마 아직 밉지 아니하다. 그리고 다정하다. 음성이 똑똑하다. "누구세요. 어서 오세요. 섣달그믐날이라도 받습니다. 당신네같이 배우려고 하는 이를 위하여 세운 기관이니까 아무 때도 받습니다. 잘만 배우셔요." 하고 학생을 받아들이는 그 고운 심정 또 정다운 말이야말로 과연 몇백 명을 거느릴만한 여 장자이다.

그는 지독한 크리스천이었다. 그러나 지금은 믿는 듯 마는 듯

---

94) 요령(要領): 가장 긴요하고 으뜸이 되는 골자나 줄거리.
95) 패사(稗史): 문학 패관이 소설과 같은 형식으로 꾸며서 쓴 역사 이야기.
96) 쑬쑬하다: 품질이나 수준, 정도 따위가 웬만하여 기대 이상이다.
97) 반나마: 반 조금 지나게.

한다. 그는 점진주의자[98]이다. 이혼은 찬성보다 반대가 많으며 연애자유는 머리부터 흔든다. 모든 점으로 보아 그는 찬성할 점이 많다. 그에게 다만 한 되는 것은 물론 육적정취(肉的情趣)는 뛰어났을 듯하지만, 부모형제 남편 자식이 도무지 없는 그것이다. 그가 모처럼 하나 받았던 딸 한 분도 7살 때 잃어버렸다 한다. 몇백 명 여자를 들이고 내고 기르고 가르치고 하니, 그도 적지 않은 위안이겠지. 여사여, 건강하여 좀 더 힘써줌이 있으라.

◇ **정종명[99] 씨**

민족운동이 문화운동으로 변하고 문화운동이 사회운동으로 변하는 그 살품[100]에 조선에는 돌개바람이 지푸라기 떠오르듯이 가지각색의 사람의 이름이 떠올랐다. 거기에는 남자가 있고 여자가 있으며 민족주의자가 있고 사회주의자가 있으며 실력주의자가 있고 개혁주의자가 있다. 여기에 말하는 정종명 씨도 이 살품에 떠오른 많은 사람 중의 하나이다. 김미리사, 신알배터 같은 이를 문화운동 축의 여성이라 하면, 정 씨 같은 이는 사회운동 축의 여성이라 하겠다. 요새 조선에서 누구~하는 여자들 가운데에서 정 씨를 보는 것은 실로 만록총중에서 일점홍[101]을 보는 느낌이 없지 못하다.

---

98) 점진주의(漸進主義): 급격한 방법을 피하고 순서대로 서서히 목적을 달성하려는 태도나 경향.

99) 정종명(鄭鍾鳴): 일제강점기에 조선여성동우회, 근우회 등을 조직하여 사회주의 항일투쟁을 전개한 독립운동가. 일제 주요 감시 대상이었으며 1929년 광주 학생운동 관련한 혐의로 옥고를 치렀다.

100) 살품: 옷과 가슴 사이에 생기는 빈틈.

101) 만록총중홍일점(萬綠叢中紅一點): '푸른 수풀 가운데 한 송이 붉은 꽃'이라는 뜻으로, '많은 평범한 것들 가운데 뛰어난 하나' 또는 '많은 남자들 가운데

물론 오늘 조선에서 사회주의의 편에 추파를 보내는 여자는 반드시 정 한사람 뿐은 아니다. 억지로 말하면 김해의 김필애 씨가 있고 이 밖에도 억지로 추려대자면 기생 출신의 '강'도 있고 예술학원 출신의 '고'도 있다. 사상 상에 있어 어떠한 체계를 가졌으며 또는 그 '주의'를 위하여 어느 때까지 독실하게 나아가겠느냐 하는 데 대해서는 아직 말하지 않은 것이 도리어 옳을 것이다. 어떠하던지 여기에 누가 있어 지금 서울에서 여류 사회 운동자를 친다 하면 누구를 치겠느냐하면 아마 정 씨를 내어놓치는 못하리라.

그 외 자세한 내력은 필자가 알지도 못하고 또 알고 싶지도 않으나 그는 일찍이 자기의 남편을 잃고 얼마 동안 '세브란스 병원'에 간호부로 있어서 좋은 꼴 나쁜 꼴을 많이 당했었으며 연전(年前)의 그는 자기의 동무 되는 '김덕성' 양과 같이 여자고학생상조회(女子古學生相助會)를 조직하여 고생도 많이 하였으며 생각도 꽤 한 모양이었다. 그가 사회주의적 경향을 가지려는 것도 이 일을 하기부터였으며 '정종명'이란 이름을 알리게 된 것도 이 일을 하기 때문이었다.

적은 키의 곰보 얼굴에 여름이면 수목치마[102] 겨울이면 그 야릇한 외투(벌써 몇 해째 입는 것)에 밤낮으로 통통걸음을 걷는 그의 모양은 언뜻 보아도 인상이 되기에 족하며 가끔 그 조그마한 주먹을 쥐여가면서 악을 쓰다시피 재우쳐[103] 말하는 거기에는 무슨 뜨

여자가 하나 끼어 있음'을 이르는 말.

102) 수목(水木)치마: 수목(水木)이란 낡은 솜으로 실을 켜서 짠 무명인데 1923년 조선물산장려운동에서 수목으로 옷을 지어 입는 운동이 전개되었다. 남성은 두루마기를, 여성은 저고리와 치마를 지어 입었다. 1923년 시세로 보면 수목 한 필에 2원 40전~2원 50전가량이었다. (출처: 표준국어대사전, '소비조합과 수목주의'(조선일보, 1923. 1. 28.), '열광적 환영의 장려회'(조선일보, 1923. 2. 9.), '근일 시세는 여하히'(조선일보, 1923. 2. 12.), '인천시 일용 물가'(동아일보, 1923. 2. 17.))

거운 듯도 하고 독스러운 듯도 한, 한 점이 있다. 그것이 여하간 그가 지닌 것 중에서는 가장 귀한 것이라 하겠지.

지난가을부터인가 새로이 한 남편을 사귄 그는 이즘은 부부 동행하여 마산 방면에서 예의 선전강연을 하는 모양이다. 그런데 여기 한마디 할 것은 그가 작추[104]에 그 남편을 사귀는데 있어는 그 남자에게 시집을 간 것이 아니라 자못 그와 친구가 되었다는 그것이다.(살림은 각각이 하고) 다른 사람은 과부의 시집가는 것이란 물론 그런 것이지 할는지는 모르나 그로서는 자기의 주의 상 생각이 있어 그런 것이다.

요컨대 그는 자기 자신이 조금 빛 다른 색채를 가지고 자기의 오고가고 하는 모든 곳에서 종래의 남자와 여자들의 말하는 여자 해방에서 더 좀 새로운 기풍을 전해준다는 데에서 또는 그 일을 꽤 열심히 하였다는 데에서 그의 남다른 한 점을 점할 수 있다. 그런데 최후로 정 씨에게 한 말을 물을 지니 이즘에 여자고학생상조회는 어떻게 되어 가는지.

◇ **김필례[105] 씨**

---

103) 재우치다: 빨리 몰아치거나 재촉하다.

104) 작추(昨秋): 바로 전에 지나간 가을.

105) 김필례(金弼禮): 해방 이후 정신여자중학교 교장, 정신학원 이사장 등을 역임한 교육자. 지도자. 대한여자기독교청년회연합회(YWCA)의 조직에 참여하여 총무가 되었고, 농촌운동과 여성의 지위 향상을 위해 노력했다. 1927년 근우회를 조직했다. 1945년 광복 후에 수피아여자중학교 교장에 취임했고, 1947년 정신여자중학교 교장이 되었다. 1950년 미국북장로교 여신도 4차 대회에 참석했고, 1962년 정신학원 이사장, 그 뒤 명예교장·명예이사장을 지냈다.(출처: 한국민족문화대백과사전)

지금 사립정신여학교의 교무주임이십니다.

지금으로부터 서른세 해 전에 황해도 송화에서 세상 구경을 처음 나오신 분인데 정신여학교의 제1회 졸업생이십니다. 그리고 동경에 건너가셔서 8~9년 동안이나 계시다가 동경여자학원의 졸업을 하시고 돌아오시어서는 모교 되는 정신학교의 선생님으로 얼마 동안 계시다가 스물여덟이 되셨을 때 서울 남대문 밖 세브란스 의학교에서 첫째로 우수한 졸업을 하신 최영욱 씨와 결혼을 하시었습니다. 혼인하신 뒤로는 전라도 광주에 내려가셔서 시집살이를 하시다가 재작년에 사랑양반 꾀서 미국 유학을 가시니까 다시 서울로 오시어서 정신여학교의 교사로 오셨다가 지금의 지위를 차지하신 분입니다.

이분의 성격은 매우 결곡한106) 편입니다. 외모의 인상과 같이 조금도 희미한 점이 없는 분입니다. 그 까닭에 첫 번 교제에는 남에게 좋은 인상을 주지 못하는 일이 왕왕 있는 분입니다. 그러기에 요사이 항용107) 볼 수 있는 덤벙대는 여자가 아닌 것은 대번에 알아볼 수 있는 분입니다. 유감으로 여길 것을 찾으라면 여자로서 얼른 보아 다정다한한 분으로 보이지 않는 것일까요? 그렇지만 이분에게는 이러한 이야기가 있습니다.

이분의 시어머님께서는 광주에서 아주 유명한 완고한 분이요, 끔찍이 엄격한 분으로서 학생며느리는 살림살이를 잘하지 못할 것이라고 학생며느리 얻는 것을 끔찍이 반대하시던 분이었었다고 합니다. 이것을 들으신 며느님은 다만 당신의 시어머님뿐만 아니라 조선 구 가정에서는 뉘 집을 물론하고 학생며느리를 반대하는 것을

---

106) 결곡하다: 얼굴 생김새나 마음씨가 깨끗하고 여무져서 빈틈이 없다.
107) 항용(恒用): 흔히 늘.

통분히 생각하시고 당신이 학생며느리가 이렇게 살림살이를 잘한다는 것의 보람이 되시려는 뜻을 세우시고 2~3년 동안을 별별 고생을 다 해가면서 기어코 시어머님이 학생며느리 얻기를 선전하고 돌아다니실 만치 해놓으셨다 합니다. 이 이야기를 들으면 얼른 보기에는 다정다한하지 못한듯하나 그 실상은 그렇지 않다는 것을 알 수 있습니다. 그리고 의지가 얼마나 굳은 것을 알 수 있으며 얼마나 용진하는[108] 힘이 굳센 것을 알 수 있습니다.

지금 이분이 교수하시는 과목은 영어, 역사, 수신[109] 등이며 일본말과 영어는 매우 능통하십니다.

---

108) 용진하다: 용감하게 나아가다.
109) 수신(修身): 일제 강점기, 도덕에 관한 교과목.

독립생활이 가능한 관북110)의 여자: 춘파(방정환)

　여자로서의 독립생활. 남편에게나 부모에게나 자식에게나 아무 데든지 의뢰하지 않고 자기 개신(個身) 그대로의 생활. 그야말로 널리 구미(歐米)의 여자나 일본이나 중국의 여자는 모르겠지만 우리 조선의 여자로서는 아직 문젯거리이외다. 아니 없다 해도 가(可)하외다.

　억지로 있다 하면 과부. 과부 중에도 젊은 과부도 아니요, 늙은 과부도 아니요, 40을 중심한 다시 시집도 못가고 아주 늙어 꼬부라지지도 아니한 과부, 두루 사정이 독립생활을 아니 할 수 없는 과부. 그이들뿐이외다. 그다음은 얻어먹거나 빌어먹거나 의지도 없고 부모·형제도 없는 거지. 그가 독립생활이라고 할른지요. 그밖에는 독립생활에 능한 여자가 아직 없습니다.

　지방을 구별할 필요는 없습니다만 조선의 30 지방을 따로따로 떼어놓고 본다합시다.

　서울 여자가 어떨른지? 그는 말도 할 것 없습니다. 남편이나 자식이 없으면 그날로 굶어 죽을 여자이외다. 농사를 모릅니다. 장사를 모릅니다. 모든 노동을 못합니다. 남편의 턱 아래서 먹던 여자이며 자식의 등 뒤에서 먹던 여자이라 독립생활이란 밑도 끝도 당치 않은 말이외다.(혹 계시지만.)

　그러면 충청도 여자, 아니외다. 그들 역시 양반집 부인이니 염집 부인이니 하여 안방구석에서만 뒹굴던 여자라 독립생활은 말도 말고 문밖 한 걸음을 내놓지 못하고 돌아들 여자이외다. (직업들은

---

110) 관북(關北): 마천령의 북쪽 지방. 함경북도 일대를 이르는 말이다.

있지만) 그러면 전라도 여자. 그도 또한 그렇지요. 먹을 것이 없고 입을 것이 없고 또한 의지할 곳이 없으면 최후의 걸음으로 막걸리 동이를 안고 큰 길거리에 나앉아 난봉가나 부를는지 모르나 제법 독립적으로 값있는 생활은 못할 것이외다. 경상도 여자도 그렇습니다. 계집자식이 나면 백 원이나 천 원 생겼다고 어떻게 길러서 어떻게 팔아야 어미의 배가 두둑해질까 (평안도도 그렇지만) 그것이 그들의 심사이니까 말이 다시 없겠고 (상류부녀는 안방으로 몰고 하류부녀의 일부가 이렇다는 말) 강원도나 황해도 여자도 농사에는 능할망정 자기 개신으로서 독립생활은 불능하고 평안도 여자 또한 그러한데 그중에 함경도 여자는 비교적 독립생활에 능하다고 생각합니다.

　다른 곳 여자는 다 나무라고 오직 함경도 여자만 이렇다고 들어 올림은 좀 무엇하지만 어쨌든 사실이 있는 바에야 어찌 합니까.(그도 전체는 아니고) 그들은 외면으로 보아 이렇다 할 여자의 미는 없습니다. 예쁘지도 밉지도 아니한 그저 두둑한 쑬쑬한[111] 정말 살림에 적당한 부인이외다. 그들은 농사도 합니다. 장사도 합니다. 고기잡이도 합니다. 길쌈도 잘합니다. 조선 전도 또는 외국에까지 유명한 저 북포[112]라는 곱고 가늘고 튼튼한 베는 다 이 함경도 여자의 손으로 된 것이외다. (삼남부인의 저포[113]도 유명하지만) 그들은 근실하고[114] 검박합니다[115]. 수입을 주로 하고 지출은 아니한대도 가(可)합니다. 옷은 겨울이면 자기 손으로 만든 무명옷, 여름이면 자기 손으로 짠 베옷 그것뿐이외다. 먹는 것은 감자나 피

---

111) 쑬쑬하다: 품질이나 수준, 정도 따위가 웬만하여 기대 이상이다.
112) 북포(北布): 조선 시대에, 함경북도에서 생산하던 올이 가늘고 고운 삼베.
113) 저포(苧布): 삼으로 짠 거친 천.
114) 근실(勤實)하다: 부지런하고 진실하다.
115) 검박(儉朴)하다: 검소하고 소박하다.

밥116)이나 조밥이외다. 신발은 한 켤레 사면 일 년, 이 년 거짓말 보태면 당대117) 신습니다. 험한 길이나 눈길이나 물론하고 신발 벗어들고 맨발로 다닙니다. 함경도 남자들은 여편네 신발 안 대주는 것을 큰 자랑으로 합니다. 그들은 시장에 나아가 매매를 일수118) 잘합니다. 그러나 정조가 유명합니다. 그들은 굶으면 굶고 죽으면 죽었지 색을 팔거나 웃음을 팔지 아니합니다. 주가119)에나 청루120)에서 그들의 그림자도 볼 수 없는 것은 세상이 다 아는 바 외다.

그들은 남편이 없어도 살만합니다. 제가 벌어 제가 먹겠다는 생각은 아주 소성121)이 되고 말았습니다. 그들은 산에 가면 나무하고, 들에 가면 김을 매고, 바다에 가면 고기를 잡고, 시장에 가면 장사를 합니다. 하되 누구에게 의뢰하거나 부조122)를 받지 않습니다. 독립적이요 마음 내키는 대로 오가외다123). (그렇지 못한 여자도 물론 많음)

이렇습니다. 함경도 여자는 이렇습니다. 다 그렇다고는 보증키

---

116) 피밥: 피로 지은 밥. 피: 볏과의 한해살이풀. 높이는 1미터 정도이며, 잎은 가늘고 긴데 잎 면이 칼집 모양으로 줄기를 싸고 있다. 여름에 연한 녹색 또는 자갈색의 꽃이 원추(圓錐) 화서로 피고 열매는 영과(潁果)를 맺는다. 열매는 식용하거나 사료로 쓴다.

117) 당대(當代): 사람의 한평생.

118) 일수(一手): 남보다 뛰어난 수나 솜씨. 또는 그런 수나 솜씨를 가진 사람.

119) 주가(酒家): 술을 파는 집.

120) 청루(靑樓): 창기(娼妓)나 창녀들이 있는 집.

121) 소성(素性): 본디 타고난 성품.

122) 부조(扶助): 남을 거들어서 도와주는 일.

123) 원 표기: 임거래(任去來) 이외다. 임거래는 사전에 없는 말인데 옛글과 시조, 가곡 등에 그 쓰임새가 남아있다. 공통의 뜻은 '마음대로 왔다 갔다 하다.'로 쓰였다. (예: 1. 소상팔경(이후백) 8경 강천모설 중 7수 '어디서 일엽어선이 임거래하는고'. 2. 두부만필(홍사용) 중 '그렇다고 정말로 방정맞거나 딱딱한 것이 아니라 천광운영이 임거래하는 유유한 도인의 심경이다.'. 3. 남창가곡 중 언편, 한송정 중 '총석정 금란굴과 영랑호, 선유담으로 임거래를 하리라.')

어려우나 대체로는 이렇습니다. 과한 칭찬인지는 모르나 타도의 여자와 비교하여 이렇더란 말이외다. 게다가 신시대의 신지식을 가지고 남녀평등이란 그 원리 하에서 사람으로의 독립적 정신이 꽉 박히는 날이면 그야말로 세계에 무서운 사람들이외다. 아― 함경도 부녀여, 자중하소서.

독일의 신여인 '슈뢰더' 여사: 김동성[124]

'슈뢰더' 여사[125]는 본래 오지리[126] 출생으로 자기 부친은 유명한 의학자이며 과학자였다. 나이 25세에 독일 서울 백림[127]으로 집을 이사하고 문학과 여자운동의 선봉이 되어 그 후로는 독일여자계의 큰 인물이 되었더라.

우리 독일국회에 여자 대의사[128]가 35인이 있는 사실은 우리 독일여자의 지식과 자격이 다른 나라 여자보다 낮다는 것이 아니올시다. 또 영국 국회에 여자 대의사가 세 사람 뿐인 것은 우리 독일여자만 못하여 그런 것이 아니올시다. 그러면 어찌하여 우리 독일여자는 정치에 여러 사람이 간선[129]을 하게 되었는가 하면, 다른 것이 아니라 독일의 선거와 투표하는 법이 다른 나라보다 다른 까닭이라고 할 수밖에 없습니다. 나는 20년을 두고 여자참정운동에 노력하여 왔으나 지난 1918년까지는 여자운동이 매우 미약하였습니다. 그때는 여자운동이 성공되었다는 것보다는 전쟁에 패하

---

124) 김동성(金東成): 호는 천리구. 해방 이후 합동통신사 제3대 회장, 조선일보 발행인 등을 역임한 언론인. 정치인.
125) 루이스 슈뢰더(Louise Dorothea Sophie Schroeder, 1887-1957): 독일 사회민주당원이었고 최초 독일 제헌 의회 의원 중 한 명이었다. 어린 나이에 사회주의 노동자 운동에 참여하며 사회 정책과 여성 평등 분야에서 일했다. 노동자 복지 기구(AWO) 설립에 중요한 역할을 했으며, 노동자 복지 학교와 독일 정치 학교 등에서 강사로 일했다. 1933년까지 제국의회 의원으로 남았고 그 이후 나치 정권에 반대했다. 1945년 이후 베를린 시의회와 하원의원을 지냈고 1949년부터 사망할 때까지 연방하원의원, 1950년부터는 유럽평의회 의원을 지냈다.(출처: 독일 위키피디아)
126) 오지리(墺地利): 오스트리아의 음역어.
127) 백림(伯林): '베를린'의 음역어.
128) 대의사(代議士): 제국의회 의원. 우리나라의 국회의원으로 이해하면 된다.(역자)
129) 간선(揀選): 가려서 뽑음.

고 혁명이 일어났을 때인 고로 그때 임시정부에서 전 국민을 소집하여 신정부를 만들려고 헌법이 성립되기를 기다리지 않고 우리 여자에게도 20세 이상이면 남자와 같이 똑같은 권리를 주었으므로 여자 41인이 국회에 참례하였고 권리를 한번 허락한 뒤에는 다시 빼앗기지 않고 1920년 6월 정식 투표하던 때 우리 여자 35인이 대의사로 피선[130]이 되었습니다. 반동파에서는 여자를 좋아하지 아니하였으나 우리 국회에는 정당이 아홉이나 되어 총선거할 때마다 각 당파에서 여자를 몇 사람씩 끼워놓았으므로 어떤 당파가 득세를 하든지 그 가운데 여자는 자연이 뽑히게 된 것이올시다.

우리 35인의 대의사 중에는 유명한 사람도 있지만 평범한 여자도 없는 것은 아니고 우리나라의 형편이 말이 아닌 까닭으로 한 번도 마음대로 웃어 볼 때도 없고 웃을 기회도 없습니다. 우리가 밤낮으로 고심하는 것은 어떻게 하면 우리 동포가 굶지 아니할까 하는 궁리뿐입니다.

독일의 신여자라면 젊은 여자라는 것이 아니라 사상이 새로운 여자라는 말씀인데 우리 대의사중에 '뮐러' 여사[131]는 60세나 되는 여자인데 몇 해 전에 개최되었던 여자국민대회에서 나는 여자 참정권을 찬성하고 그이는 반대를 하였던 일이 있었는데 내가 대의사가 된 뒤에 국회에서 그이를 만나보고 "대의사가 되셨습니다그려. 우리가 여자 참정에 서로 싸웠던 생각이 나십니까." 하고 물었더니 '뮐러' 여사는 얼른 대답하기를 "이런 말씀을 하면 잘 믿

---

130) 피선(被選): 선거에 뽑힘.
131) 파울라 뮐러 오트프리트(Paula Müller-Otfried, 1865-1946): 독일의 여성 인권 운동가, 정치인, 사회복지의 선구자이다. 독일 국민당 소속으로 1919년 바이마르 제1대 제국의회 의원이 되어 1932년까지 의원으로 재직했다. 기독교적 입장에서 여성운동, 여성 투표권 운동, 여성 노동 운동에 힘쓰고 교육자로 일하기도 했다. (출처: 독일 위키피디아)

지 아니하실는지 모르겠습니다만 나는 아직까지도 여자 참정은 반 대합니다."라고 하였습니다. 그러나 그 부인은 일등 대의사 노릇을 합니다. 우리 여자의 권리에 관계되는 일에는 우리와 같은 행동을 하여 왔습니다. 독일인민당은 곧 보수당인데 대의사 세 사람 중에 두 사람은 학교 교사를 다니던 사람인데 그 중 '오하임' 여사[132] 는 여자 당파를 반대하여 투표도 하는 여자이온데 의사 되기 전에 는 사회사업은 도무지 모르고 지내었다 합니다. 재산이 많은 여자 인 고로 의복과 가옥이 항상 화려하고 제조공장을 여러 곳이나 가 지고 있습니다.

중앙당 곧 천주교당에도 여자가 여러 사람이 있는데 독일여자 대의사 가운데 가장 늙은 여자 되는 '노이하우스' 부인[133]이 이 당파 대의사인데 연세가 70이나 되었고 평생을 자선사업에 노력하 여 왔습니다.

우리 여자 대의사의 대부분은 학교 교사입니다. 민주당의 '뤼더 스' 박사[134]는 여자운동의 인도자이오, 국회에 있는 여자 중에는

---

132) 카타리나 폰 오하임(Katharina von Oheimb, 1879-1962): 독일의 정치인, 출판인, 살롱니에르. 1920년부터 1924년까지 바이마르 공화국 제1의회 대표 여성 중 한 명이었다. 독인 인민당의 일원이었는데 사회주의적 신념을 추구하 는 경향이 강했다. 살롱을 주최했고 사생아와 고아 돌봄을 지원했다. 가구 및 실크 제조 집안에서 태어나 나중에는 사업을 하기도 했다.(출처: 위키피디아)
133) 아그네스 노이하우스(Agnes Neuhaus, 1854-1944): 독일 중앙당 소속으로 1920년부터 1930년까지 제국의회 의원이었다. 1899년부터 젊은 여성을 매 춘에서 해방하는 '선한 목자'의 첫 번째 협회 설립을 시작으로 미혼모, 전직 매춘부, 임산부 등에게 피난처를 제공했다. 이후 유아 보육 학교를 설립했다. 1944년까지 가톨릭 복지 협회 중앙 연합회의 지도자였다.(출처: 독일 위키피 디아)
134) 마리 엘리자베스 뤼더스(Marie-Elisabeth Lüders, 1878-1966): 독일의 정치 인, 여성 인권 운동가. 독일 연방정부 사무소 건물(Marie-Elisabeth-Lüders-Ha us)이 그녀의 이름을 따서 명명되었다. 프로이센에서 여성에게 고등 교육이 개방된 후, 1909년부터 베를린 프리드리히 빌헬름 대학교에서 정치학을 전공 한 최초의 여학생 중 한 명이었고 1912년 박사 학위를 받은 최초의 여성이 었다. 노동자 이익 증진을 위한 중앙 협회를 포함해 여성 사회사업에 참여했

몸이 제일 큽니다.

　나는 사회민주당원으로 우리 당의 정략으로 말하면 독일이 무엇에서나 극도로 가지 않게 하고 교육과 문화 향상에 힘을 씁니다. 독일의 여자 참정은 성공이 되었습니다. 전쟁 전에는 독일여자가 감히 세계적 회합에 참여하지 못하였으나 지금은 어떤 모임에라도 참가할만하고 독일여자가 국회에만 참가하였을 뿐 아니라 각 도, 각 시에도 참가하여 사회사업에 진력하는 중이올시다.

고, 베를린 중앙 민간 복지부에서 일하기도 했다. 1920년대 바이마르의 결혼 재산법 개혁에 관한 독일 여성 협회 연맹의 법률 위원회에 적극 참가했다. '법과 여성의 행정'이란 연설은 1922년 법원 헌법을 개정하기 위한 제국의회 결의안의 토대가 되었다. 이로 인해 독일에서 처음으로 여성이 판사, 변호사, 행정 변호사 또는 검사가 될 수 있게 되었다. 독일 민주당 소속으로 1930년까지 제국의회 의원으로 활동했다.(출처: 독일 위키피디아)

[시] 아내여: 장백(長白)

아내여!
귀여운 아내여!
귀엽고도 불쌍한 아내여!
힘없는 내 여윈 팔에
매달려 조화하는 불쌍한 아내여!

바늘 잡은 손에도
단장하는 거울에도
적은 가슴이 노염으로 뒤집힐 때에도
두 눈에 야속다는 눈물이 고일 때에도
내 생각에 매달리는 아내여!

무엇을 주랴?
아아 불쌍한 네게 무엇을 주랴.
황금도 노적135)도 귀인의 영화도
못 가진 궁인136)이라 무엇을 주랴.
아아 근심에 여윈 이 가슴을 받으라!

---

135) 노적(露積): 곡식 따위를 한데에 수북이 쌓음. 또는 그런 물건.
136) 궁인(窮人): 빈곤하여 생활이 궁한 사람.

기생의 혐의로 부랑자에게 욕을 당하던 여학생의 실화

이런 일이 한 번뿐이 아니요, 두 번뿐 아니라는 생각은 누구나 다 가지고 있지만 여학생의 교표 문제 그것뿐으로 말미암아 화류계의 여자 대 여학생, 여학생 대 부랑자, 부랑자 대 화류녀의 삼각적으로 연출되는 희비극이 오늘날 우리 사회에 얼마나 많은가를 생각할 때 우리는 한 번 더 사회의 여론을 아니 일으킬 수 없다. 따라서 여학생 자신 또는 학교 당국자의 지속한 처단을 아니 요구할 수 없다. 이에 소개하는 몇 편의 실화는 여학생 자신이 화류녀의 혐의를 받아 여러 방면으로 악희137)를 당하던 가장 억울하다는 눈물과 섞어 쓴 애소장138)이다. 우리는 일찍이 여학생 교표 문제를 들어 논의한 바 있었거니와 독자는 이제 풍기 상 어떻게 괴악한139) 사실이 당신네 자매에게 핍박하고 있는가를 이 몇 편의 사실담에서 보라.

비행기를 보려고 여의도에 갔다가: 서울 김○순 수기

그날이 바로 지난 12월 18일인가 20일인가 봅니다. 날짜는 얼핏 생각이 아니나나 바로 이기연 씨가 향토 방문 비행을 하던 날140)

---

137) 악희(惡戲): 못된 장난을 함. 또는 그 장난.

138) 애소장(哀訴狀): 애소는 슬프게 하소연한다는 뜻이다. 그러므로 애소장은 애원장이라고 이해하면 적절할 것으로 보인다.(역자)

139) 괴악(怪惡)하다: 말이나 행동이 이상야릇하고 흉악하다.

140) 이기연(李基演)은 우리나라 최초로 민항을 개척한 파일럿이다. 1923년 6월 일본 이토비행연구소를 졸업하고 당해 9월에 3등 비행사 자격을 취득하였으며 12월 19일 '장백호(長白號)'로 고국 방문 비행에 성공한다.(출처: '대한민국

이외다. 안창남[141] 씨 비행할 때라든지 평양서 이따금 이따금 날아오는 비행기라든지, 비행기 뜨는 것은 늘 보았으니까 비행기 구경이 그닥 골똘한 것이 아니라 이기연 씨가 새로 비행사가 되셔서 향토를 방문한다고 매일신보사에서 굉장히 떠드는 김에 마음이 좀 들먹거렸던 차이고, 또한 시험도 갓 끝나고 평양서 와 공부하던 동창 B 양도 모레 갓 트이니[142] 내려간다 하기에 떠나기 전 소풍이나 한번 하자고 그 전날 밤에 둘이서 여의도에 가기를 약조했었습니다.

그날 아침이외다. 아홉 시쯤 하여 B 양은 나 있는 방문 밖에 가만히 와서 문을 똑똑 두드립니다. 나는 혼자 있어 세수를 하다가 손바닥에 분(粉)이 묻은 그대로 "아! B냐. 일찍 왔구나. 나는 이제야 세수야." 하고 그를 맞아들였습니다. B는 흑색 나단[143] 주의[144]에 그가 3주일 동안이나 애써 만든 당홍[145] 목도리를 두르고 왔습니다. 그리고 나이 19세나 된 사람이라 물론 트레머리[146]였습니다. 나도 치장을 다 한다야. 그밖에 별다를 것이 없었습니다.

항공을 있게 한 또 한사람, 이기연을 기억하며', 윤태석(국립항공박물관 학예연구본부장), 한국박물관학회 고정칼럼, 2020. 6. 30.) 즉 이 수기는 1923년 12월 19일경 필자가 겪었던 기록이다.(역자)

141) 안창남(安昌男): 일제강점기 일본에서 비행술을 배워 중국 국민혁명군 및 항일 무장 투쟁에 참여한 비행사이자 독립운동가. 일본에서 비행사 면허 취득 후 1922년 12월 10일 고국 방문 비행했다. 1924년 중국으로 망명해 대한민국임시정부와 접촉하고 중국군에 참여하여 항공 독립운동 방략을 추구하는 데 중추적인 역할을 했다.(출처: 한국민족문화대백과)

142) 원 표기: 모레갓트니

143) 나단(羅緞): 가스사로 짠 피륙. 가스사: 면사(綿絲)를 방적한 직후 가스 불꽃 속을 빠른 속도로 통과하여 잔털을 태워 매끈한 광택이 나게 한 실.

144) 주의(周衣): 우리나라 고유의 웃옷. 주로 외출할 때 입는다. 옷자락이 무릎까지 내려오며, 소매·무·섶·깃 따위로 이루어져 있다. 두루마기의 한자어이다.

145) 당홍(唐紅): 예전에 중국에서 나는 자줏빛을 띤 붉은 물감이나 색을 이르던 말.

146) 트레머리: 가르마를 타지 아니하고 뒤통수의 한복판에다 틀어 붙인 여자의 머리.

그리고 B는 편상화147)이고 나는 단화일 뿐이외다.

나는 밤에 이런 생각을 했습니다. 비행기 구경을 간다. 가면 우리 둘뿐은 너무 적적치 않을까. 구경꾼들이 많으렷다. 그 많은 중에는 우리를 보고 혹………. 그때 연화대회148) 때에도 별 창피한 꼴을 다 보았으니까………. 옳다 되었다. 오라버니를 데리고 가자. 자기네 사내들끼리 가지 왜 우리와 같이 갈라고. 아니야, 몹시 졸라대면 아니 들을라고. 에라 되었다. 그리하자. 만약 B가 또 빈둥거리면 어찌하노. 아니 일없어, 내가 말하면. 그리고 일전 진고개149)에도 같이 갔던 터이니까, 오라. 아무 상관 없어……….

나는 밤에 이런 생각을 하고 아침에 일어나 세수하기 바로 전에 오라버니보고 여의도에 구경 같이 가기를 청했습니다. 오라버니는 두세 번 뚝 떼더니 내가 재삼 애걸복걸하니까 마침내 빙그레 웃으시면서 "글쎄, 그럼 내 장갑 하나 만들어주어야." 하고 허락을 하였습니다. 그리고 나서 세수하는 즘에 B가 왔습니다. B에게 오라버니가 동행한다는 이야기를 하니까 쾌활한 B는 관계없다고 모시고 가면 더 한층 편이하겠다고 합니다.

이리하여 부랴부랴 아침을 먹고 꿈질꿈질하는, 그닥 가고 싶어 하지도 않는 오라버니를 재촉하여 10시 30분쯤 해서야 문밖을 나섰습니다. 오라버니는 양복에다가 오버150)를 입으시고 각체황색안

---

147) 편상화(編上靴): 신의 등에서부터 목까지 긴 끈으로 얽어매게 되어 있는, 목이 조금 긴 구두. 발목 길이의 워커로 이해하면 될 것 같다.(역자)

148) 연화대회(煙花大會): 불꽃놀이로 짐작된다. 1923~1933년 기사에 의하면 연화 물질이 자연적으로 폭발되는 사고가 있었고 인명피해가 있던 기록도 있다. 또한 강변 근처에서 대회를 진행한 사실로 보아 현대의 불꽃놀이, 폭죽놀이 등이 연화대회였던 것으로 보인다.(역자)

149) 진고개: 서울특별시 중구 충무로 2가(명동역 근처). 전 중국대사관 뒤편에서 세종호텔 뒷길에 이르는 고개이다. 흙이 끊어질 정도로 질었던 데서 유래되었다고 한다.(출처: 서울지명사전)

150) 오버(over): 추위를 막기 위하여 겉옷 위에 입는 옷을 통틀어 이르는 말.

경151)을 끼고 자색 넥타이를 하고 손이 허하다고 은장식한 까만 단장152)을 들었습니다. 대문을 나서서 아닌 게 아니라 오라버니 행색이 너무 하이칼라인 듯하다고 생각했습니다. 무엇인지 마음에 좀 미안쩍은 생각이 없지 않았습니다.

　우리는 경성역에서 기차로 노량진까지 갈까 하다가 차가 복잡할까 싶어서 그냥 전차로 철교까지 가서는 걸어가기로 하였습니다.

　그런 너절한 꼴을 가끔 당해보지만 남자들의 그 구역질이 나리만큼 아니꼽게 구는 꼴이야말로 한갓153) 생각하면 얄밉기도 하려니와 어떻게 보면 불쌍도 해 보입디다. 이건 우리네 여성이 보이기만 하면 길거리거나 전차 칸이거나 덮어놓고 눈을 흘깁니다.

　그래 여자란 산보도 못하고 구경도 못 다니란 말이요. 또한 남자와 같이는 못 다니란 말이요. 웬일이요. 왜 우리에게 주목을 하며 우리 오라버니에게 트집을 걸어요.

　종로네거리에서 신용산행 전차를 탔습니다. 차는 매우 복잡하여 서서 가게 되었습니다. 늙은이, 젊은이, 신사, 숙녀 혹은 양복, 혹은 조선복 별별 인물이 많이 탔습니다. 그중에는 우리 같은 여학생도 4~5인 되고, 우리 오라버니 같은 젊은 양복한 하이칼라 청년들도 섞여 있습니다. 차 안이 복잡하니까 물론 질서는 못 차리겠지요. 서로 비비대고 서로 손등을 스치고 서로 발등을 짓밟게 되겠지요. 그러나 웬 행사요. 코가 떨어졌습디까. 왜 두 번 세 번 뚫어지게 쳐다보며 정신병자같이 까닭 없이 왜 싱글싱글 웃으며 한번 보고는 쑤군쑤군, 두 번 보고 또 쑤군쑤군 마치 형사가 중대 혐의자나

---

151) 각체황색안경(角體黃色眼鏡): 모 나게 각진 황색 안경.
152) 단장(短杖): 짧은 지팡이.
153) 한갓: 다른 것 없이 겨우.

발견한 듯이 그러십니까. 우리는 본체만체 그러거니 말거니 될 수 있는 대로 태연하였습니다만 그 쑤군거리는 소리가 우리의 귀에 걸려 상금[154] 기억이 남은 바에야 어찌합니까.

우리가 무엇이 어떻기에 학생이니 비학생이니, 기생이니 비기생이니, 가짜이니 진짜이니 하여 심지어 명월관에서 보던 애 같다고까지 악구[155]를 함부로 내어 두릅니까. 급기야 왜 고의로 남의 발등을 밟고 나서 까닭 없는 우리 오라버니에게 시비를 걸어놓았습니까. 우리는 스스로 웁니다. 너무도 억울하였어요. 우리네가 약한 탓이겠지요. 이런 원통한 일을 어디가 말을 할까요.

우리는 전차 종점까지 갔습니다. 별로 현저하게 남을 의의할[156] 사실은 없었지만 전차 간에서 하도 좋지 못한 꼬락서니를 보고 나서는 다시 갈 용기가 없고 도로 들어오고 싶은 생각이 났습니다. 그러나 떠났던 길이니 가보자고 우리가 정직한 바에 천만의 악귀가 있단들 상관있느냐고 철교를 슬렁슬렁 건너갔습니다.

일수가 사나운지 본래 사회의 풍기가 요롷게도 더럽게도 낮춰 흐르는지 모르지만 이날 우리에게는 별 괴상망측한 꼴이 자꾸 닥칩니다. 아마 우리뿐 당하는 꼴이 아닌 줄 압니다. 글쎄 길거리에서 장난하던 어린애들까지 우리에게 악희[157]를 합니다그려. 제법 이성이 무엇인지 알고 그러면 혹 어떨는지 모르나 10세 내외의 더벅머리 아이들이 이게 무슨 짓입니까. "벳핀상 간다. 오이오이 좃또마떼."[158]가 이 무슨 망할 자식들입니까. 어떤 놈은 돌까지 던집

---

154) 상금(尙今): 지금까지. 또는 아직.
155) 악구(惡口): 남의 흠을 들추어 헐뜯거나 험상궂은 욕을 함. 또는 그 욕.
156) 원 표기: 위일만. 문맥상 의의(疑意)의 뜻으로 짐작했다. 의의: 의심을 품은 뜻.
157) 악희(惡戱): 못된 장난.
158) 원 표기는 "べっぴんさん간다. オイオイジョットマッテ."이다. 일본어로 벳핀

니다. 기가 막혀서요………. 웃을 밖에 없었습니다. 그리고 넓으나 넓은 길에 어떻게 못 피해서 남의 활개159)를 꼭 스치고야 갑니까. 제발 좀, 그러지 말았으면 좋겠습듸다.

우리는 여의도까지 갔습니다. 구경꾼이 안창남 씨 때만은 못하나 어지간히 모였습듸다. 비행기에 고장이 생겨서 오후 3시쯤 해서야 뜬다고 합니다. 그래서 우리는 문 안에 들어가 비행기 뜬 것이나 보자고 곧 돌아섰습니다. 다른 이들도 많이 돌아서나 봅듸다. 철교 근처에 오니까 구두 신은 발이라 꽤 아팠습니다. 다리 위에서 잠깐 쉬면서 원근을 보고 있노라니까 뽕뽕하고 가고 오는 자동차에는 신사 숙녀도 있지만 대개는 화류계를 중심한 그들이었습니다. 오래 섰으면 또 좋지 못한 꼴이 보일까 하여 곧 걸음을 옮겼습니다. 언제인가 부랑한 술 취한 주정꾼 몇 명이 벌써 우리의 뒤를 답습했습니다. 인면이요 수심160)인 그자들이라 체면이니 경우니 아무것도 없습니다. 다짜고짜로 우리 오라버니에게 트집을 겁니다. 양목주의161)에 중절모자를 젖혀 쓴 자 하나가 비틀거리며 침을 퉤퉤 하면서 팔을 벌리고 우리를 따라오면서 "오이오이 오마에상와 토모 바카다네. 히토리데 니히키와……."162)하고 중얼거립

(べっぴん, 別嬪)은 속어로 미인이라는 뜻이며 오이오이(オイオイ)는 '이봐 이봐' 하며 부르는 소리이다. 국어로 옮겨보자면 "예쁜이 간다. 이봐 이봐, 잠깐 기다려봐."라고 이해하면 될 듯하다.(역자)

159) 활개: 사람의 어깨에서 팔까지 또는 궁둥이에서 다리까지의 양쪽 부분.

160) 인면수심(人面獸心): 사람의 얼굴을 하고 있으나 마음은 짐승과 같다는 뜻으로, 마음이나 행동이 몹시 흉악함을 이르는 말.

161) 양목주의: 무명 두루마기. 양목(洋木): 두 가닥 이상의 가는 실을 되게 한 가닥으로 꼰 무명실로 나비가 넓고 발이 곱게 짠 피륙. 광목보다 실이 가늘고 하얗다. 서양에서 발달하여 이렇게 부르기도 한다. 주의(周衣): 두루마기.

162) 원 표기는 "オイオイ オマヘサンハ トウモウバカダネ。ヒトリデ ニヒキハ………。"으로 한국어로 번역하면 "이봐 이봐, 네 녀석 정말 바보구나. 혼자서 두 마리는………."으로 볼 수 있다.(역자)

니다. 오라버니는 못 들은 체하고 슬슬 피해 달아납니다. B와 나도
형세가 좋지 못할 듯하여 미친개 피하듯이 수그리고 빨리 달아났
습니다. 그자들은 우리가 아무런 저항이 없이 도망하는 듯 약하게
보이니까 기고만장하여 "오이오이 좃또마떼 잇쇼니 유쿠노가 이
이쟈나잇카."163) 하면서 자꾸 따라옵니다. 그중에 좀 점잖다는 자
하나가 "이 사람 학생들보고 그게 무슨 짓인가. 그만하고 두게."
합니다. 그러니까 술 취한 자는 더 한층 건들거리며 "나니카 가쿠
세이? 가쿠세이쟈나이. 게이샤다 게이샤."164) 하면서 자꾸 따라옵
니다. 오라버니는 참다못하여 쓱 돌아서며 맞시비를 걸려하다가 어
떻게 생각하였는지 다시 돌아서 그냥 오고 마십디다. 이때 나는 퍽
도 가슴이 조마조마하였습니다. 그자들의 행위는 뺨을 갈겨도 좋고
구류165)를 시켜도 좋겠지만 당장의 창피한 꼴을 하기 위하여 오라
버니가 맞시비를 하면 어찌하나 당장 풍파가 일터이니 풍파만 일
면 어찌하나 하고 퍽도 가슴이 두근거렸습니다. 전차에 올라앉으니
까 마음이 적이 놓였습니다.

여러분 이것이 우리뿐 당한 일이겠습니까. 이날의 우리 여학생으
로의 구경 왔던 이는 대개 이런 더러운 희롱을 받았을 줄 압니다.
이날 이곳뿐이 아니라 종로에서도 청량리에서도 정차장에서도 밤
이나 낮이나 부랑자의 눈에 비치기만 하면 그놈의 눈은 동자가 거

---

163) 원 표기는 "オイオイ　ジョットマッテ　イッヨニユクノガイイジャナイッ
カ。"이다. 해석하면 "이봐 이봐, 좀 기다려봐. 같이 가는 게 좋잖아."정도가 될
것이다.(역자)
164) 원 표기는 "ナニカ　カクセイ？　カクセイジャナイ。ケイシャダケイシャ。"
이다. 해석하면 "뭐라고 학생? 학생 아니야. 게이샤야 게이샤."로 번역할 수 있
다.(역자)
165) 구류(拘留): 죄인을 1일 이상 30일 미만의 기간 동안 교도소나 경찰서 유치
장에 가두어 자유를 속박하는 일. 또는 그런 형벌. 자유형의 하나이다.

꾸로 박혔는지 우리를 화류통으로 간주합니다. 이것이 우리네 의복 문제도 물론이겠지만 고 망살 맞을[166] 악마년들은 어쩌면 그다지 도 악심사를 피워 우리의 옷을 가장해가지고 우리네에게 누를 끼 치는지요. 사회의 제재가 없을까요. 없다 하면 그까짓 놈의 사회는 두었다가 무엇합니까. 하루바삐⋯⋯⋯.

그런데요. 나는 나의 억울한 실험담[167]을 쓰던 끝이니 말이외다. 나의 동무 K 양도 나와 비슷한 욕을 한번 당했더라 합니다. 간단 히 보태어 소개하겠습니다.

~~~~~~~~~~~~~~~~~~~~~~~~~~~~~~~~~~~~

토월회 연극 구경을 갔다가 - 이○○ 양 담

지난가을입니다. 토월회에서 문예극인가 무언가 조선극장에서 하 지 않았어요. 그때입니다.[168] 그때 나의 동무 R 양은 자기 동무들 하고 셋이서 같이 구경을 갔더랍니다. 이층 부인석에는 옆집 부인, 행낭어멈, 기생, 그들이 간(間) 섞여 앉았더랍니다. 여학생인 자기 네들이 나타나니까 대낮에 도깨비나 나타난 것 같이 장내의 공기 가 일변하며 모든 시선이 자기네게로 모이더랍니다. 남자석에서는

---

166) '망살하다'는 '망쇄(忙殺)하다'의 비표준어이다. 그 뜻은 '정신을 차릴 수 없 을 정도로 매우 바쁘다.'이다. 과거 신문자료를 찾아보면 '망살'은 앞의 뜻으 로 쓰이거나, 혹은 '망설이다'의 뜻으로 쓰였다. 본문의 문맥을 보면 두 뜻 다 옳지 않은 듯하고, '망할(亡殺)' 정도로 이해함이 적절할 것으로 보인다.(역자)
167) 실험담(實驗談): 실제 체험담.
168) 기록에 따르면 토월회는 1923년 5월경, 동경에서 시작한 모임이다. 처음 이들은 단막극 4편을 선정했는데, 그중 하나가 체호프(Chekhov,A.P.)작 <곰> (연학년(延鶴年) 주연)이었는데 그해 7월 4일에 조선극장에서 제1회 공연의 막을 올렸으며 7월 8일에 종막을 올렸다.(출처: 한국민족문화대백과사전, '토월 회의 종막'(조선일보 1923.7.8. 3면)) 이 사실에 비추어보았을 때 해당 사건은 1923년 7월 4일에서 7월 8일 사이에 일어났던 일로 추측할 수 있다.(역자)

물론 같은 여자끼리도 서로 의심하면서 무어라고 쑤군쑤군 의논이 많더랍니다. 기생이니 여학생이니, 여학생은 이런 곳에 아니 온다 느니 (여학생이라고 연극 구경 못 한다는 법이 어디 있겠습니까.) 여학생이면 풍(風)이 들었다느니, 근일(近日)은 기생도 여학생 모양을 하고 다닌다는 등 별별 소리가 많은가 보더랍니다. 더군다나 극장에 있는 배우니 변사니 하는 자들이 번갈아 오르내리며 너저분한 냄새를 피우는 것이 더욱 가증하더라고요. 아닌 게 아니라 사면팔방으로 두루 뜯어보아도 분명한 화류계의 여자가 학생복하고 온 것이 둘인가 셋인가 되더라고요. 급기야 연극을 하는 중에 '곰'이란 막이 열리며 어떤 채무자의 미망인이 돈 만 원으로 인하여 곰 같은 마정[169]에게 정조를 빼앗기지 아니하고 싸우고 있더랍니다. 그때 관람석에서는 풍기문란이니 무어니 하고 야유[170]가 툭툭 나오는 판인데 부인석 중의 여학생 가장[171]의 어떤 입바른 여자가 "정조가 무슨 썩어질 정조냐." 소리를 빽 질렀더랍니다. 그러자 모든 관람객들은 일시에 시선을 모아 보내며 "희여희여." 하고 손뼉을 치는 이도 있고 '요망한 계집'이라고 욕하는 이도 있는데 이 가운데 제일 억울한 것은 옥석이 구분으로[172] 여학생이 그랬는지 기생이 그랬는지 두루 몽롱한[173] 중에 탈은 여학생이 뒤어쓰게[174] 되었더랍니다. 말 한마디의 그 자체가 옳은지 그른지 그는 고사하고 여학생 기생을 두루 혼동을 하여 한가지로 취급하는 그것이 가

---

169) 마정(馬丁): 말을 부려 마차나 수레를 모는 사람. 마부.
170) 원 표기: 야지 [일본어] やじ: 야유, 놀림
171) 가장(假裝): 얼굴이나 몸차림 따위를 알아보지 못하게 바꾸어 꾸밈.
172) 옥석구분(玉石俱焚): 옥이나 돌이 모두 다 불에 탄다는 뜻으로, 옳은 사람이나 그른 사람이 구별 없이 모두 재앙을 받음을 이르는 말.
173) 몽롱(朦朧)하다: 의식이 흐리멍덩하다.
174) 뒤어쓰다: 뒤집어쓰다.

장 억울하더란 말이외다.

그리하여 관람자 중, 혹 분자175)는 내종176) 것 R 양 그들을 탕녀로 알고 극이 파한 뒤 길거리에서까지 수상하게 뒤를 따르며 이러니저러니 쑥덕거리더란 말이외다.

아 여러 선생님, 어쩌면 우리 사회에 이러한 악풍이 없어질까요. 우리는 속이 타고 심사가 울분하여 안정을 못하고 있습니다. 귀 잡지에서 우리 여학생들을 동정하여 의복 개량 문제를 일으켜 주셨으니 말씀이외다. 아무쪼록 속히 귀결을 지어주십시오. 간절히 바라고 그만둡니다.

~~~~~~~~~~~~~~~~~~~~~~~~~~~~~~~~~~

안국동 길가에서: 송현동 K O 생

기자 선생님, 사람이란 종자가 이 지구에 뚝 떨어질 때 어찌하여서 남자라 여자라 하는 구별이 생기게 되었습니까. 생겼거든 어찌하여서 서로서로 붙들어가며 살 줄을 모르고 저 한편에서는 이 한편을 마음대로 하며 이 한편에서는 저 한편의 마음대로 하는 짓을 그대로 보고만 있게 됩니까.

기자 선생님, 나는 여자이외다. 아직도 20 미만의 처녀이외다. 북쪽이면서도 따뜻한 고향의 안방을 떠나 이제로부터 1년 전에 서울이란 이곳에 와서 돈 없이 공부하는 여자 고학생이외다. 여자 고학생이라니까 제 말을 듣는다는 사람은 여자고학생상조회를 연상할 터입니다. 그러나 저는 여자고학생상조회원도 아니외다. 물론

---

175) 분자(分子): 어떤 특성을 가진 인간 개체. 흔히 부정적인 관점에서 이르는 말이다.
176) 내종(乃終): 다른 일을 먼저 한 뒤의 차례.

그 회에 들어가면 다소간 고학할 편의가 있습니다. 그러나 서울 천지의 생면강산[177])에 그런 곳인들 누구의 주선으로 들어가게 되겠습니까. 여보세요. 모두가 다 거짓말입디다. 이러니저러니 해도 모두 관계로 이리도 되고 저리도 되는 것이 이놈의 세상입니다.

기자 선생님, 투레[178])의 말씀은 이만하옵고요. 제가 당한 일간의 사실 한 가지를 귀 잡지사에 보고하지 않을 수가 없습니다. 귀사에 있는 여러분이라도 이 보고를 접하오면 이 세상 사람의 특히 저들 사내자식들의 경박한 행동에 놀라지 아니치는 못하리다.

기자 선생님 바로 지난 열이렛날이올시다. 지난가을부터 송현동 어떤 큰 대문집의 줄행랑 한 칸을 얻어 동무 세 사람과 같이 자취하고 있던 저는 며칠 전에 같이 있던 두 동무를 잃고 (그들은 그래도, 나보다 좀 넉넉한 편이어서 겨울 한동안은 여관집에서 밥을 붙이고 먹을 작정으로 이 집을 떠난 것입니다.) 저 혼자 그 집을 지키고 있는데 지난 열엿샛날 저녁부터는 나무도 떨어지고 쌀도 없어졌사오니, 백사지[179]) 이 땅에, 외로운 여자의 몸이 갑자기 어찌할 수가 있었겠습니까. (물론 이런 경우가 벌써 몇 번이나 있기는 있었습니다.) 부득이 저녁밥을 궐하고[180]) 나무 한 가지를 못 넣고, 주린 배를 움켜쥐고, 길고 긴 겨울의 하룻밤을 그곳의 냉방에서 지냈습니다.

기자 선생님, 그 이튿날, 즉 열이렛날 아침이외다.

밤새도록 이불을 쓰고 앉았다 누웠다 하면서, 천 가지 생각, 만 가지 근심을 가지다가, 학교에 갈 시간이 되어서 그만 일어나려 하

177) 생면강산(生面江山): 처음으로 보고 듣는 것을 비유적으로 이르는 말.
178) 투레: 젖먹이가 두 입술을 떨며 투루루 소리를 내는 짓.
179) 백사지(白沙地): 의지할 데가 도무지 없는 객지나 타향. 흰모래가 깔려 있는 땅. 곡식이나 초목 따위가 자라지 못하는 메마른 땅.
180) 궐(闕)하다: 마땅히 해야 할 일을 빠뜨리다.

오니, 아아 이것이 웬일입니까. 머리가 아프고 몸이 떨리고, 그리고 기침이 한참이나 나더니 목구멍으로 피가 쏟아져 나오며 정신이 어지러워지겠지요. 공부하려고 나선 나이오, 공부하기 때문에 당하는 고생이니, 엎드려 죽어도 학교의 문턱을 베고 죽으리라 하여, 저는 그날도 억지로 억지로 학교에 갔습니다.

기자 선생님 학교에 간들 무엇을 배웠겠습니까. 종일 떨고 종일 울다가, 돌아오는 길에 안국동에 있는 김○○ 씨를 찾았습니다. 즉 김 씨는 저와 한 고향에 있는 어른으로서, 서울 와서 살림을 하는데, 찾아간 대야 별수가 생기는 것도 아니지만, 이렇게 안타까울 때는, 그 집을 찾아가는 것이 내가 가끔 하는 짓입니다. 그런데 김 씨는 그때 집에 계시지 않았으므로, 쌀 없고 나무 없고 냉기만 가득한 송현동181) 행랑방182)이나마, 그리로 돌아오는 수밖에 없다 하고, 그 집 대문을 나서 약 한 마장183)을 나왔는데, 그 길에서 집으로 돌아오는 김 씨를 대하게 되었습니다. 보통 때 같으면 이런 말이고 저런 말이고 그 자리에서 할 바도 아니오나, 저의 감정이 너무나 충분된 때라, 금방 죽어도 말할 만한 곳 없는 저는, 한 고향에서 온 그이를 대할 때, 스스로 그 사정을 설파하게 되었습니다. 그때 제 눈에는 눈물이 흘렀고, 제 사정을 듣는 그의 얼굴에는 근심 빛이 띄웠습니다. 제 괴로운 사정을 알면서도, 실제에 어찌할 만한 힘을 가지지 못한 김 씨로서는, 스스로 그럴 것입니다. 이때 이외다. 바로 이때이외다. 그 길 한편에 높다란 기와집이 있고, 그

---

181) 송현동(松峴洞): 서울특별시 종로구에 있는 법정동으로, 행정동인 삼청동이 관할한다. 현재는 덕성여자중학교와 열린송현녹지광장이 위치해 있다. (출처: 두산백과)

182) 행랑방: 대문간에 붙어 있는 방.

183) 마장: 거리의 단위. 오 리나 십 리가 못 되는 거리를 이를 때, '리' 대신 쓰인다. 1리는 약 0.393km에 해당한다. 즉 필자는 약 400m정도 이동했다.

집 길 역방에 몇 사람의 남학생이 있는데, 제가 김 씨와 이야기하는 모양을 보더니, 그만 미친놈들같이 떠들면서, "이년아, 이놈아, 야 참 좋구나. 오늘 저녁 어디로 만나자는 약속이냐!"고 야단 야단을 합디다 그려.

기자 선생님, 그게 대체 무슨 짓들 입니까. 둘이 만나서 사정 이야기를 한다 할지라도, 남자와 남자 사이의 사정이 있고, 또 여자와 여자 사이의 사정이 있는 것이라 하면, 남자와 여자 사이에도 역시 사정이 있을 것은 너무나 당연한 일이 아니겠습니까. 그런데, 하물며, 남이 눈물을 흘려가면서 살가죽을 가하는 사정을 말하는 사람에게 대해서, 자기네의 호사스럽고 음란한 추측으로써 우리를 조롱한다함은 과연 얼마나 더러운 행사184)입니까.

기자 선생님, 반드시 전부는 아니겠지만 사내놈들의 마음은, 어쩌면 그렇게도 더럽고 염치없고 축축합니까. 그중에도 돈푼이 있는 놈의 행사는 왜 그렇게 누합니까185). 시골이나 서울할 것 없이, 있는 사람의 자식들은, 공부한다고 하느니 보다도 노라리186) 하는 격으로, 밥 사 먹고 여관에 엎드려서, 틈만 나면, 여학생 모욕할 생각이나 하고 있사오니, 어쩌면 사람의 마음이 그러합니까.

기자 선생, 진정 말씀이지, 있는 사람은 안 되었어요. 그들은 여자에게 대해서는 음란한 생각을 가지고, 없는 사람에 대해서는 압박할 생각을 가져요. 그리고, 모든 것을 제 생각(그 한가하고 음탕한 생각)으로 남도 그런 거니 해요. 하느님은 왜 그런 사나이 종자를 내었습니까.

---

184) 행사(行使): 행동이나 하는 짓.
185) 누(陋)하다: 더럽고 지저분하다.
186) 노라리: 건달처럼 건들건들 놀며 세월만 허비하는 짓. 또는 그런 사람을 속되게 이르는 말.

외조모 뵙고 오다가: 서울 청진동 경춘자 담

잊혀지지 않는 작년 시월 ○○○○날 저녁이었습니다. 그날이 외조모 생신날이라 (노량진에 있는 외가댁으로) 어머니는 그 전날 나아가시고 오라버니는 그날 아침에 일찍 나갔었건만 우리 형제는 학교에 다녀와서 저녁때 가까워서야 나아갔었습니다. 그래 거기서 저녁밥을 먹고 외조모 모시고 이야기하다가 아홉 시나 가까워서 어머니는 이튿날 들어오신다하여 그 댁에서 묵으시게 되고 오라버니와 우리와 셋이서 돌아오느라고 이 이야기 저 이야기 하면서 한강 철교 큰 다리를 지나서 작은 다리에 이르니까 저편에서 중절모자 쓴 젊은 남자 네 사람이 오면서 -그중에는 학생모 쓴 사람도 분명히 있었습니다.- 무어라고 쑥덕쑥덕하고 웃는 모양이나 저희가 알 것이야 있었겠습니까. 그러더니 뒤미쳐서

"흥, 한 놈이 두 마리씩 달고……."

하고 들띄어놓고[187] 크게 하는 소리가 들렸습니다. 그러나 그 소리는 분명히 듣고도 그 소리가 저희를 가르쳐 하는 소리인 줄은 알지 못했었습니다. 다만 그 사람들이 술주정꾼이나, 심술궂은 장난꾼이나 아닌가 싶어서 저희 둘은 주춤주춤하여 오라버니의 바로 뒤에 바싹 다가서서 걸었습니다. 그러니까 오라버니는 그 사람들을 피해서 한쪽 난간 옆으로 가는 고로 우리도 그 뒤를 바싹 따랐습니다. 그랬더니 그게 웬일이겠습니까. 그중의 한사람이 쪼르르 쫓아오더니 제 동생의 어깨를 탁 치고 무어라고 소리를 와락 지릅니다. 무슨 소리를 뭐라고 질렀던지 그 말소리를 자세히 들을 경황도 없었어요.

---

187) 들띄워놓다: [북한어] 두루뭉술하게 일반적으로 말하거나 글을 쓰다.

에구머니 소리를 지르고 저의 동생은 제 팔을 붙들고 매여달리고 오라버니가 돌아서서 말을 하니까 도리어 오라버니를 보고 "이놈이 건방지게 무슨 호기냐."고 호령을 하지요. 원 그건 미쳤다고 할지 술 취했다고 할지, 술이 취했기로 그런 나쁜 행세가 어디 있겠습니까. 오라버니도 술 취한 사람으로 알고 순순한 말로 "내 누이동생들 데리고 친척집에 다녀간다."고 자상하게 일러주어도 "누이가 이놈아 무슨 누이냐." "누이를 데리고 술 먹고 노름질하러 다니느냐."고 별별 입에 못할 욕을 다하여요. 그러는 중에도 여러 놈들은 뒤에 서서 깔깔거리고 웃고 섰더니 또 한 놈이 와서는 저의 손목을 훔쳐 잡으려고 하면서 "얘, 나하고 가자꾸나." 하지 않습니까. 천하에 그런 돼지만도 못한 놈들이 어디 있겠습니까. 그 꼴을 보고 오라버니도 성을 내고 "이 괴악한 놈들"하고 소리를 높여 꾸짖고 후려 때릴 기세를 보이고 한편으로는 지나가던 사람들이 하나씩 둘씩 모여들게 되니까 저의끼리 그만두게 그만두게 하면서 뜯어말려가지고 천만 용서하는 것처럼 저런 나쁜 년놈들은 버릇을 가르치느니 어쩌느니 하면서들 돌아가 버리고 저희들도 어찌 놀랐고 분한지 말 한마디 서로 하지 않고 그냥 뛰어와서 전차를 타고 들어왔습니다. 일곱 해 여덟 해째 학교에 다니느라고 길거리로 다녀도 그런 변이 어떻게 한 번인들 있었겠습니까. 들으니까 우리 형제를 기생이나 나쁜 년으로 알고 그랬나보다 하오니, 설마 기생으로 알기도 그렇게 무지하게 구는 법이 어디 있으며, 두 눈이 청맹과니188) 같은 사람들이지 어째서 저희가 기생같이 보입니까. 그때의 통분한 일은 죽어도 잊히지 못할 것입니다. 그렇게 아무나

---

188) 청맹(靑盲)과니: 겉으로 보기에는 눈이 멀쩡하나 앞을 보지 못하는 눈. 또는 그런 사람. 사리에 밝지 못하여 눈을 뜨고도 사물을 제대로 분간하지 못하는 사람을 비유적으로 이르는 말.

머리 틀고 길거리에 지나가는 사람을 모두 기생으로 알아서야 여학교에 다닐 사람이 한 사람인들 있겠습니까. 귀 잡지사에서라도 어떻게 하셔서 이런 폐단이 없어지게 되어야만 하겠습니다. 그리고 학생은 학생인 무슨 표적을 낼 수 있었으면 그 폐단이 없어질 것도 같습니다.

~~~~~~~~~~~~~~~~~~~~~~~~~~~~~~~~~~~~~~

이러한 일은 나도 보았소 - 우춘

그때가 바로 전 조선 축구대회의 셋째 날이었습니다. 부정선수 문제로 주최 측과 학교편이 결승을 하느니 못하느니 한참 시비가 분분한 판인데 부인 관람석 복판으로부터도 어떠한 부정문제가 탁 폭발이 되어 "너 같은 기생년 때문에………." "네가 무슨 여학생이냐." 하고 이년 저년 욕설이 왔다 갔다 하며 또한 단발미인의 중재가 있다가 역시 한 축으로 몰려 코 떼인 일이 있었습니다.

그때 여러 구경꾼이 다 같이 본 바이지만 부인석에는 정말 점잖은 부인도 있었고, 여학생도 있었고, 사실 기생도 몇 명 끼어있었습니다. 그런데 어디 가든지 웃음 팔기 얼굴 팔기로 본색 삼는 기생들은 누구보다도 제일 앞에 서서 간드러진 웃음을 웃어가며 방약무인하게 담배를 푹푹 빨아 연기를 여학생들 편으로 보내었습니다. 여학생들은 그 아니꼬운 행동에 분해서 심사가 불뚝불뚝한 판인데 그 지독한 담배 연기가 자꾸 눈과 코를 쓰라리게 침노하니까 참다못하여 어떤 이의 입으로 "여보 담배 좀 그만두오. 뭇사람에게 방해요." 하고 한마디 내쏘았더랍니다. 그러자 기생들은 "별 아니꼬운 꼴을 다 보겠네. 누구더러 먹어라 말아야. 그렇게 기피되는 일이 있으면 방구석에 박혀있지 구경이 무슨 구경이야."하고 톡톡히 대항을 하였더랍니다.

싸움은 이렇게 시작되었습니다. "너 같은 기생년들 때문에 우리가………." "네가 무슨 여학생이야 여학생 복색만 하면 그만이란 말이냐." 하고 두 편이 서로 그 행동의 추악 뿐을 꼬집어 드는 것이 이 싸움의 중심이었습니다. 이때 여학생들은 하도 기가 막히고 분통하여 울기까지 하고 모든 사람의 주목은 기생에게로 몰리게 되니까 그만 슬쩍슬쩍 다 달아나고 말았습니다.

자, 이것 보시오. 부랑자니 무어니 하지만 같은 여성인 여학생과 기생 사이에도 이러한 충돌이 가끔 일어납니다. 어쨌든 큰일이외다. 책임이 누구에게 있는지?

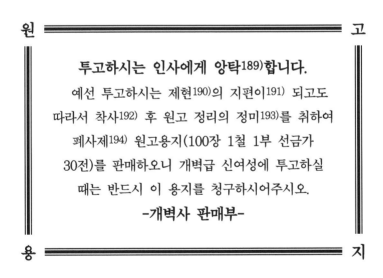

투고하시는 인사에게 앙탁[189]합니다.

예선 투고하시는 제현[190]의 지편이[191] 되고도
따라서 착사[192] 후 원고 정리의 정미[193]를 취하여
폐사제[194] 원고용지(100장 1철 1부 선금가
30전)를 판매하오니 개벽급 신여성에 투고하실
때는 반드시 이 용지를 청구하시어주시오.

-개벽사 판매부-

---

189) 앙탁(仰託): 우러러 부탁함.
190) 제현(諸賢): 여러 점잖은 분들.

◇ 제1기 제2기 요 때의 신여성: 소춘(김기전)

□ 제1기의 신여성

친구에게서 들은 말이다.

여자○○청년회장 되는 유 부인이, 어느 날, 어떤 미국인 선교사의 아내와 더불어 이야기를 하는데,

미 부인: 당신의 남편 되는 이는, 지금 무엇을 하고 계십니까.

유 부인: 미국에서 유학하고 계십니다.

미 부인: 그렇습니까. 그럼, 어떤 학교에 들어, 무슨 학과를 공부하시나요.

유 부인은 잠깐 얼굴을 붉히면서

"유학이 아니라, 유학할 준비를 하는 중입니다."

미 부인은 조금 화두를 돌리어,

"그러면 당신 혼자, 어떻게 여기에 계십니까."

"무얼요, 혼자 있는 것이 좋습니다."

미 부인은 잠깐 놀라면서,

"혼자 있는 것이 좋다니요. 그게 무슨 말씀입니까."

---

191) 지편(至便)하다: 더할 수 없이 편하다.

192) 착사(着社): 회사로 도착하다.(역자)

193) 정미(精美)하다: 정교하고 아름답다. 순수하고 아름답다.

194) 폐사(弊社): 말하는 이가 자기 회사를 낮추어 이르는 말. 폐사제(弊社製): 저희 회사에서 제작한 것.

이때 유 부인은 한번 깔깔 웃으면서,

"아니에요, 이제 미국으로 따라갈 태예요."

이것이 역시 요 때 여자들이 하는 행태이다. 남편이 잘나면, 자기가 역시 잘나는 사람이 되는 듯싶어서 외국에만 가 있으면 유학 갔다고 자랑하고, 자기의 주의야 알 바가 무엇이랴. 남의 비위만 맞추어주면 그만이라고 하여, 처음에는, 자기의 홀로 살게 된 것을 자랑하다가, 다른 사람으로부터, 그것이 될 수 있는 일이냐고 반박하는 마당에 이르러는, 그런 게 아니라 이제 남편을 따라나선다고 하여, 그들이 신는 구두의 뒤축과 같이 되똥되똥한 마음을 가진 것이 요 때 여자들의 하는 행태의 하나인 듯싶다.

□ 제2기의 신여성

이것은 내가 당한 일이다.

금년 1월 1일이었다. 나는 어떤 여자들끼리 모여서 공부하는 곳에를 들렀더니, 거기 있는 처녀 한 분이 새해의 첫인사로 나의 손을 잡아 흔들었다. 나는 놀랄 것까지는 없었으나, 여하간, 의외로 생각되었다. 내가 처녀와 더불어, 손을 잡아 인사한 적이 이번까지 두 번이었다. 이번이 그러한 것과 같이, 먼저 한 번이 역시, 저편에서 자진하여 내 손을 잡은 것이었다. 그들이 자진하여 턱턱, 남자들의 손을 잡는 것, 이것은 정히, 요 때 여자들의 시험해보는, 새로운 행동 됨이 분명하다.

사람을 남자와 여자로 나눠놓고, 다시 남자와 여자는 서로 터놓고 살아서는 안 된다는 윤리를 지어놓고 남녀유별이라는 큰 기를 높이 달아, 백 년 전이나 천 년 전의, 옛날, 옛 모양으로 살자하면, 다시 할 말이 없거니와, 적어도 우리는 남자와 여자라는 그 이름을 떠나, 사람이란 근원 자리에 들어가, 한층 새로운 세상을 배포하고, 새로운 살림을 해보자는 주의 가진 사람(그렇다. 사람이다. 남자 여자가 아니오, 오직 사람이다.)이라 하면, 남자와 여자가 서로 대할 때, 손을 잡아 인사함과 같은 것은 너무나 당연한 일로서, 애초에 말할 거리도 못 되는 것이다. 자못 생각할 것은, 요새 그와 같이 새로운 행동을 취하는 여자. 그들이 과연 얼마나 새로운 주의를 가졌으며, 또는 새로운 주의를 가졌다 할지라도, 그 주의대로 나아가기 위하여는, 얼마나 한 곤란이 있을 것을 생각하였는가 하는 그것이다. 어찌하였든, 우선 치하할 현상이다. 이 현상이 일시의 호기심이나 유행병 들린 사람의 장난이 되지 말고, 더욱더욱 참된 마음과 의로운 용기로써 꿋꿋이 뻗어 나아가는, 내내 새로운 현상이 되기를 바란다.

외국 여시인의 명시: 김명순 역

바다에 가려고: 영국 여시인 크리스티나 로세티[195]

"구슬픈 이날에 헤어지는 우리들
다시 어느 날에 만날지.
또 한 번 두 번 세 번
그날을 분명히 말씀하시오."

"바다에 할미풀의 꽃이 피고
물고기가 벌판에 날 때에
그때에 두 사람은 만날지
구슬픈 이날에 이별하는 우리들"

"또 한 번 떠나기 전에 말씀하시오.
이 앞 이별은 무엇 때문이라고.
바다에 꽃이 피는 날이라면
다시 만나게 되는 것을.

장미보다 파란 이 두 뺨
바다보다 짠 이 눈물
마음은 얼음 어는 것 같이

---

195) 크리스티나 로세티(Christina Georgina Rossetti): 영국의 대표적인 여류시인. 대표작으로 시집《요귀의 시장(市場), 기타 Goblin Market and other Poems》(1862)가 있다.

두 번은 만나지 못할 두 사람이매"

"오오 울든지 웃든지 마음대로요.
살든지 죽든지 원수인 세상에.
헤어지지 않으면 안 될 이 세상은 원수라—
두 번은 못 만날 이 이별.

바다에 할미풀에 꽃이 피고
벌판에 물고기가 나는 날까지
나는 파란 장미꽃—
그대의 마음에 괴로움은
내 마음도 아프게 한다."

향수: 독일 여시인 리카르다 후흐[196]

저녁이 되면 무엇인지 생각해
멀고, 먼, 아버지의 집을.
어두운 숲속에 나는 아득이다,
몸을 맞추기까지 벗어나지 못하고.
오오, 먼, 아버지의 나라인 아버지의 집이여,
너를 버린, 가련한 자는 재앙이 있을지라!
꽃은 다—그 앓는 손에 시들어서,

---

196) 후흐(Huch, Ricarda): 독일의 여류 작가, 시인. 괴테상 최초의 여성 수상자
였다. 대표작으로 장편소설 《젊은 루돌프 우르슬로이의 추억》(1893), 평론《낭
만주의의 보급과 쇠망》(1902) 등이 있다.

벗은 다-그 어두운 노래를 끄르더라.

물거머리: 노 여시인 지나이다 기피우스[197]

여울턱에 고요한 곳에, 하수의 입 담은 곳에,
검은 물거머리는 갈뿌리 밑에 철썩 붙어.
무서운 반성의 때, 날 저물 때
내 맘에도 철썩 붙은 물거머리를 본다.

그러나 피로한 마음은 죽은 것 같이 고요하다
탐욕스러운 죄(罪)의 물거머리여,
검은 물거머리여

석양[198]의 청광[199]을 불러서: 희랍 여시인 사포[200]

그대는 새벽 아침이 뿌려놓은 것을 모은다
양을, 모으고, 산양을 모으고,

---

197) 지나이다 기피우스: 러시아의 시인, 작가. 잡지 《새로운 길》을 발행, 데카당
  파 문학 운동을 추진하였다. 대표작으로는 소설집 《악마의 인형》《왕자 로망》
  가 있으며 1920년 파리 망명 후, 반소(反蘇) 문필 활동을 했다.
198) 원 표기: 석영(夕映). [일본어] ゆうばえ(夕映え): 석양빛을 받아 반짝이고 빛
  남. 저녁놀.
199) 청광(淸光): 선명한 빛.
200) 사포(Sapphō): 고대 그리스 최대의 여류 시인. 소녀들을 모아 음악과 시를
  가르쳤다. 다작한 것으로 알려져 있는데 주로 서정시를 썼다고 한다. 장편시
  《아프로디테 송가(Aphrodite 頌歌)》 외에 몇몇 단편(斷片)이 남아 있다.

어머니의 품에 어린애를 돌려보내다

야반201)

달은 스러진 밤하늘에,
감초인 플레이아데스202)의 빛
야반이다.
"때"는 몰래 가서,
다만 나 홀로 긴 의자에.

---

201) 야반(夜半): 밤이 깊은 때.
202) 플레이아데스: 그리스 신화에 나오는 님페 자매로 오리온에게 쫓기다 모두
별자리가 되어 플레이아데스성단을 이루었다.

원수야! 너는 '악마'다: 우춘

아― 세상맛203)은 과연 쓰구나!

어떤 후레자식이 세상맛이 달다고 하느냐. 세상은 살리 만치 재미있게 되었다고 하느냐.

세상은 쓰다. 세상은 못 살겠다. 세상은 쓸쓸하다. 세상은 도깨비나 독사나 살 세상이다.

무엇보다도 여성 그것 때문에 못 살겠다. 고 요망한 구미호 같은, 주린 고양이 같은 계집년 때문에 더 못 살겠다. 바늘만 한 일에도 눈물 쫄쫄. 홍두깨만 한 일에도 눈물 쫄쫄. 손끝에 가시가 들어도 훌쩍훌쩍. 염통204)이 곯아 터져도 훌쩍훌쩍.

웬 이놈의 꼴을 보고 어떻게 살더란 말이냐?

외아들이 죽어 나갈 때도 대성통곡. 남편이 공부를 떠날 때도 대성통곡. 지아비의 술 한 잔에도 못 살겠다. 아들놈의 연필 한 자루에도 못 살겠다. 원 요런 꼴을 보고 어떻게 살자더란 말이냐.

옷감을 사오라고 조드락조드락205). 쌀을 팔아오라고 앙알앙알. 남은 반지를 꼈다고 요러니조러니. 저는 조바위206) 하나도 없다고 앙알앙알. 원 요것을 데리고 어떻게 살더란 말이냐.

○ 턱을 고이고 창에 비친 넘어가는 햇살을 보고 주린 고양이같이 눈이 밝아 가지고 콜지락 콜지락207) 눈물 내는 꼴이야. 발로

---

203) 세상(世上)맛: 사람이 세상을 살아가며 겪는 온갖 경험.
204) 염통: 심장
205) 조드락조드락: [북한어] 귀찮을 정도로 매우 비위 상하게 놀리는 모양.
206) 조바위: 추울 때에 여자가 머리에 쓰는 물건의 하나. 모양은 아얌과 비슷하나 볼끼가 커서 귀와 뺨을 덮게 되어 있다.
207) 훌쩍훌쩍과 같은 의성어로 추정된다.(역자)

비벼줄까 손으로 움켜줄까 장부의 심사 다 녹는다. 고 망살궂은 꼴208)에 어떤 빌어먹을 자식이 "여보 마누라. 그러지 마소."의 소리를 하겠느냐 말이다. 당장에⋯⋯⋯.

바가지싸움을 요란히 붙이고 솥 밑이 뚫어져라 왕방울 소리를 내이니 그 소리를 듣고서 어떤 후레자식이 먹겠다고 앉았겠느냐. 아무리 사흘에 한 끼를 못 먹은 자식이기론.

○ 아구 요물아 악마야 어서 죽어라. 남까지 못살게 굴지 말아라. 너는 왜 빌어먹지 못하며 너는 왜 벌어 입지 못하느냐? 무슨 까닭으로 남의 옆구리에 붙어서 남의 피만 빨아먹으려 하느냐.

야야 싫다. 나아가거라. 떨어지거라. 제발 덕분에 떨어졌다고-. 너도 사람이지. 사람이면 남 사는 세상에 왜 못 살겠느냐. 떨어져라. 독립생활을 해라.

또 콜짝콜짝한다209). 목 메인 소리로 "나는 싫어요. 나는 못 가요. 나를 죽여주오. 나는 당신에게 매인사람이에요. 죽일 테면 죽이고, 살릴 테면 살리세요. 나는 못가요. 나는 죽어요." 요러고 밤새도록 조르겠다.

○ 너는 과연 악마다. 남도 잡아먹고 너도 잡아먹는 지독한 악마이다. 아, 요 악마야. 귀신아. 사람을 살려라.

이것뿐으로 돌아서겠다. 그러나 악마의 힘에 끌려 다시 돌아서겠다. 그리하기를 몇 번 몇 번 하루 이틀 1년 10년 그러다가 둘이 다 같이 거친 언덕에 지는 햇빛과 같이 만고의 한을 품고 긴 한숨

---

208) '망할 꼴(亡殺)' 정도로 이해함이 적절할 것으로 보인다.(역자)
209) 콜짝콜짝하다: [북한어] 눈물을 조금씩 흘리며 작은 소리로 자꾸 얄밉게 울다.

으로 꺼꾸러지고 말 것이다.

　요것이 오늘날 너나없이 당하고 있는 구차한 살림의 뜻 없는 부부의 번민과 고통의 전막이다.

　○ 어떤 여성에게 미친 자식이 여성을 찬미하더냐. 여성이란 악마이다. 더구나 오늘의 조선여성이란 악마이다. 저도 못살고 남도 못살게 하는 악마이다. 악마 그는 하나도 남기지 말고 이 세상으로부터 다 내쫓아야 한다. 그래야 세상은 살만한 세상이 되겠다. 달콤한 세상이 되겠다. 그런 사람 잡아먹는 악마는 다 나가거라. 그리고.

　○ 정말 사람다운 여성이 오거라. 저도 살리고 남도 살리고 제가 일하여 제가 먹고 입을 독립적 여성이 오너라. 제발 그가 오너라.

　아구, 고 남의 겨드랑이 알에 사면발니[210)같이 딱 달라붙어서 남의 피를 빨아먹자는 악마. 생각 사특, 이가 갈린다. 가거라, 그따위란. 오너라, 악마 아닌 새 여성아.

---

210) 사면발니: 사면발닛과의 이. 사람 음부의 거웃 속에 기생하고 피를 빨아 먹는데 물리면 가려움 발진을 일으킨다.

여학교 방문기

마중하기 어렵고, 보내기 애달픈, 가장 즐겁고 가장 힘 있는, 배우는 이의 꽃다운 세상이 늘 그립습니다. 이제 그들의 찬란한 이즈음 살림을 들여다보려고 이집 저집 걸음 내키는 대로 찾아다니겠습니다. 그래서 마중하려는 이의 앞잡이가 되며, 보내기 애달파하는 이의 위로 거리가 되게 하려 합니다.

그러나 이것이 첫나들이이니 콧잔등이에 숯검댕이[211]나 좀 칠하고 나가야지, 아니 숯검댕을 칠할 걱정보다, 대관절 어디를 먼저 가야 될 것인가를 정해야 하겠습니다. 아무리 생각해 보아도, 서울 성 중에서 그다지 혁혁한 이름을 가진 부자댁 보다, 그저 우연만 한 형세로, 소꿉질하듯이 소곤소곤 지내가는 댁에를 먼저 찾아가는 것이 어느 편으로든지 좋을 것입니다. 그런 댁에를 먼저 찾아가는 것이 내 도리로 보아도 좋을 것이며, 첫나들이에 대접받기에도 나을 것이며, 다녀온 이야기를 여러분께 들으시기에도 좀 더 재미있을 것이라고 생각하였습니다. 그래서 첫나들이는 동대문 안 낙산 맞은 서편[212]에 높직하게 딱 버티고 앉은 사립정신여학교를 찾아갔던 것이올시다.

정신여학교에 첫 나들이: W생

두 다릿목 전차정류장을 다 못 내려가서 빈터를 건너 밭고랑을 끼고 들어가니 (이것은 가까이 가고자 하는 샛길) 오른편으로 꼭

---

211) 숯검댕이: '숯검정'의 방언 (강원)의 방언. 숯검정: 숯에서 묻은 그을음.
212) 서울특별시 종로구 연지동 136-5번지, 도로명 주소로는 김상옥로 17이다. 네이버 지도에는 '옛정신여학교(대한민국애국부인회거점)' 유적지, 사적지로 등록되어 있다.(역자)

대기에는 철망을 높다랗게 쳐놓은 검은 판장이 보이며 그 막다른 데는 우리 조선식의 오랜 나무대문이 보이는데, 이것이 교문입니다. 대문 안에 썩 들어서며 건축물을 한번, 아래위를 훑어보니, 짓기는 붉은 벽돌로 지은 집인데, 동향, 서향, 북향으로 보면 삼층 집이요, 남향으로 보면 사층 집입니다. 별로 맵시 내서 지은 집도 아니요, 별로 함부로 지은 집도 아닌데, 아마 이 모양으로 지은 집을 '콜로니얼'식 집213)이라고 한다지요. 어찌하였든 밖으로 보아서는 한 이삼백 명 학생의 교사로서는 똑 알맞게 지은 집이라고 생각되었습니다. 그러나 나중에 알고 보니까, 기숙사를 겸해 쓰는 집이었는 고로 좀 옹색한 느낌이 있었습니다. 밖으로 보아서는 모르겠더니 나중에 안에 들어가 보니까, 이 집은 기숙사로나 쓸 집이요, 교사로서는 합당하지 못한 것 같았습니다. 이 집을 한가운데다 두고 그 주위로 운동장이 있는데 운동장도 별로 만족한다고 칭찬할 수는 없으나마 지금 조선 여학교로서 고만한 살림을 하는 학교 중에서는 그다지 남만 못하지는 않았습니다. 여기저기 벌려있지 않고 함께 붙어서 쓸모 있게만 놓였더라면 그만한 면적이면 더할 나위 없는 훌륭한 운동장이었을 것은 의심 없을 것이었습니다. 아가씨님들의 몸을 키우는 기구로는 '테니스', '바스켓볼', '그네' 등이 상비되어 있으며, 또는 수시하여214) 여러 가지 준비가 있는 모양이었습니다. 그러나 요사이는 날이 추워서 운동장 바람을 싫어하는 탓으로 잘들 나오지를 않아서 그러한지는 모르겠으나 그네라든지 테니스 코트라든지 모든 것이 탐탁해 보이지를 않았습니다.

---

213) 콜로니얼건축(Colonial architecture): 식민지의 주민이 모국의 건축을 본떠 세운 건축양식으로 풍토, 재료, 기술 수준, 생활 수준의 차이에서 모국의 양식과는 다른 독특한 특색이나 내용을 나타내 보이며 간소하고 견고, 유용을 주안점으로 삼는다. (출처: 대한건축학회 건축용어사전)

214) 수시(隨時)하다: 일정하게 정하여 놓은 때 없이 그때그때 상황에 따르다.

교사 대문 안에 들어섰으나 아무 소리가 들리지 않고 조용했습니다. 다시 중문 안에 들어서니 그제야 선생님의 가르치는 소리, 생도들의 묻는 소리가 부드럽게 들리었습니다. 아마 상학중인가보다 하고 오른편의 사무실이라고 써 붙인 방문을 두서너 번 콩콩 쳐서 '노크215)'라는 것을 했더니 학감으로 계신 장준(남자) 씨께서 문을 열고 맞아주셨습니다. 이 선생님은 키는 중키에 삼십 살이 될락 말락 하신 호리호리하신 분이 그중 인상에 남는 것은 버드러지신 이와 느지막하게 코 한 중턱에 쓰신 금테 안경입니다. 어디로 보든 지성미 순한 분임을 알겠습니다. 학칙요람과 학교연혁기록과 직원명부를 한 장씩 얻어 들고, 교장 손진주216) 씨 (미국 여자)께 면회를 청하고 그 너머 방으로 안내되었습니다. 교장선생님은 나의 통성명과, 방문한 연유를 듣더니, 반색을 하며 반가이 맞아주셨습니다. 미국 여인네로서는 키라든지 몸집이라든지 모두 중에서 조금을 올까 말까 한데, 얼른 보아서는 엄격한 성질을 가진 사나이 같이도 보였으나, 그의 표정과 어조에서는 매우 온순하고 싹싹한 성격을 가졌다는 것이 숨김없이 나타나며, 웃을 때마다 생기는 두 뺨의 우물지는 것이라든지, 꽉 다물렸던 입술이 들릴 때 가끔가끔 드러나는 덧니는, 애와 정이 뚝뚝 돋는 듯하였습니다. 지금 한 이삼 분만 지나면 하학이 될 터이니 잠깐 쉬었다가 다시 상학이 되거든 구경을 하는 것이 좋을 것이며, 더욱이, 자기는 아무래도 조선말을 잘 통하지 못할 염려가 있는 고로 교무주임 되시는 김필례 여사를 대신 청해 들일 터이니 같이 다니며 마음껏 구경하라는 말씀을 하

---

215) 원 표기: 넉그
216) 정신여학교 제9대 교장. 본명은 Lewis, Margo Lee. 미 북장로교 한국 여선교사이다. 취임 기간은 1912~1939년으로 정신여학교 교육사업에 헌신했다. 일본의 간섭에 의해 일제강점기 말에 학교 교장에서 물러났다.(출처: 정신여자고등학교 홈페이지, 한국기독교사연구소 한국기독교사 게시판)

시고, 학교의 교육 주의에 대하여 이렇게 말씀하셨습니다.

"우리 학교에서는요, 이 학교의 졸업을 한 사람이면 어디를 가든지, 무엇에 당하든지, 홀로 서서 능히 감당해 나갈만한, 개척의 때에 있는 조선 사람으로서의 건실한 사람을 기르라는 것입니다. 다시 말하면 남의 힘을 기다리지 아니하고 자기 힘으로 용맹스럽게 나가는 사람을 기르려는 것이올시다."

이 말이 끝나자마자, 하학 종소리가 요란스럽게 일어나며 여기저기서 발자취 소리가 일어나기 시작하니까 손 교장께서는 교무주임을 찾고자 밖으로 나가셨습니다. 나는 그동안에 아까 학감 선생님께 얻은 세 가지 기록을 들여다보았습니다. 그에 의지하여보건대, 이 학교가 처음 창립되기는 개국 오백삼 년 10월 1일에 야소교[217] 북장로파 선교부인 도티 씨[218]가 연동여학교라는 이름으로 창립한 것인데, 창립 당시에는 고아원과 같이 의지가없는 계집아이 십여 명을 모집하여 초등 정도의 교육을 하였다 합니다. 그리하다가 입학지원자가 차차 많아지니까 중등 정도의 학생을 가르치기로 하고 이름을 정신여중학교라고 고치었는데 그때는 광무 7년[219]이라 합니다. 그리하다가 다시 융희 3년[220]에 구한국 학부의 인가를 얻었었으며 1912년에 이르러서 '밀러'부인이라고 하는 분의 주선으로 지금의 이 집을 지은 것이라고 합니다. 그리하여 그때부터 백여 명의 학생을 끊임없이 잘 길러내 오다가, 1922년에 총독부 교육령에 의지하여 학칙을 변경하여 고등보통과 4개년과 보습과 2

217) 야소교(耶蘇敎): '예수교'의 음역어.
218) 원 표기: 도치(都治)
219) 광무 7년: 1903년
220) 융희 3년: 1909년

개년으로 인가를 얻고 다시 작년 9월에 지정을 얻고자 총독부에 출원 중인데 불원간 허가될 모양이라고 합니다. 지금의 생도 수효는 일백삼십 여인이요, 직원의 수효가 20인이나 된다고 합니다.

이때 창밖의 운동장에서는 웃는 소리, 박수하는 소리가 요란히 일어났습니다. 재미있는 유희가 시작된 모양이었습니다. 손 교장께서는 이제 곧 교무주임이 오실 터이니 잠깐만 더 기다리라고 하시며 들어오셨습니다. 지정인가는 불원에 나올 줄 믿는 이야기며 교사를 새로 건축할 터인바, 지금 장로교 선교부에서 기부금을 수합 중이니까, 금년 가을부터는 건축을 시작하게 될 모양이요, 명년 중에는 어찌하였든지 훌륭한 교사를 볼 수가 있으리라고 생각한다는 말이며, 선생님들도 차차 자격 있는 분을 많이 모셔 오겠다는 이야기이며, 우리 학교에는 교장이며 교무주임이 모두 여자라는 이야기며 교무주임 선생님의 칭찬 등을 이야기하고 있으니까, 김필례 여사께서 들어오셨습니다. 교장은 소개를 하고자 하였으나 실상은 인사는 한지가 벌써 오래였던 고로 교장의 호의는 그만 소용이 없이 되어버렸습니다. 그리하여 상학 시간이 되기를 기다리느라고 이런 이야기 저런 이야기 하고 있는 중 어느덧 종소리가 요란히 일어나며 운동장에 나갔던 장난꾼들은 장난의 끝을 못 마쳐서 원통해하는 빛으로 몰려들어왔습니다.

잠깐 지체해서 김 선생님의 뒤를 따라서 상학하는 구경을 하였습니다.

첫째로는 중문에서 마주 보이는 교실에 들어섰습니다. 여기는 1학년 교실이라 합니다. 이 시간은 산술 시간이었습니다. 선생님은 이창규 씨였습니다. 이 반의 생도 수효는 46인이라 합니다. 조금 나중에 들어오든지 조금 일찍이 들어오든지 했더라면 좋았을 것을 옹이에 마디로 어쩌면 요런 때 손님이 들어온담 하고 원망 소리를 들을 만치 딱 알맞춰 들어섰습니다. 생도 중에 윤애경이라고 하는 조그마한 아가씨님이 칠판 앞에 나서서, 해답을 썼는데 잘 맞지 못한 모양이었습니다. 여기저기서 교정하려는 아가씨님들이 손을 들고 일어나는 중이었습니다. 다음에는 동편 맨 끝 방 제4학년 교실에 들어섰습니다. 여기 생도의 수효는 매우 적었습니다. 단지 12사람밖에는 없었습니다. 이 시간은 기하 시간인 모양이었습니다. 그러나 손221)이 왔다고 그리하는지 아가씨님들이 너무들 얌전을 빼시는 까닭에 이야깃거리를 하나도 얻을 수가 없어져서 퍽 섭섭하였습니다. 다음에는 위층으로 올라가서 보습과 1, 2년급 생도들의 수놓는 구경을 했습니다. 선생님은 여자고등보통학교를 졸업하시고 그 학교에서 오랫동안 교편을 잡고 계시던 박용일 여사이시었습니다. 생도의 수효는 1년급에 9사람, 2년급에 3사람, 합이 12사람이었습니다. 여러분 중에 어떤 분이 그 중 수를 잘 놓으시느냐고 물었더니 1년급에서는 주영옥 2년급에서는 정해란 이 두 분이 잘 놓으신다고 하였습니다. 그러나 나는 묻고 나서 생각하니까 그 자리에서 물은 것이 너무 속없는 사람 노릇을 한 것 같았습니다. 잘 놓았다고 뽑힌 분은 속으로 기쁘고 겉으로는 부끄러웠을 것이며, 못 놓는다는 사람 편으로 간 여러분은 분하기가 짝이 없었을 것이올시다. 박 선생님께서는 자수에 대한 설명을 문 앞에까지 쫓아 나오시면서 들려주시었습니다. 매우 자세한 분인 것을 알 수가 있었습니다. 다음에는 그 집을 나와서 서편 쪽으로 외따로 떨어져 있는 조선식으로 지은 고옥에 이르렀습니다.

이 집은 고등2, 3년급의 교실입니다. 먼저 3학년에 들어서니 습

---

221) 손: 다른 곳에서 찾아온 사람.

자 시간이었습니다. 칠판에는 '문품 김시위'라는 해서가 써 있으며, 선생님 김원근 씨는 테이블을 끼고 앉아서 생도들의 글씨를 꿇고[222] 앉으셨는데 이 선생님은 키가 조그마하신 분이 아무리 보아도 한문학자님이시었습니다. 생도들이 만일 이 선생님을 별명을 지어가지고 부른다 하면, 의례히 샌님이라고 부를 것이라고 짐작할 만치 조용하신 선생이시었습니다. 그중 어떤 분이 글씨를 잘 쓰느냐고 물었더니, 선생님께서는 고개만 기우듬하시고 대답이 없으셨습니다. 그래서 나는 대답하시기 어렵다고 하는 눈치를 채이고 얼른 나와 버렸습니다. 이 반에는 22사람의 생도가 있었습니다. 다음에 그 뒤로 붙은 2학년 반에 이르렀습니다. 여기는 36인의 생도가 있는데 국어독본 시간이었습니다. 선생님은 이 학교에 오직 한 분밖에 없는 일본 선생님 도쿠마루 미사오라고 하시는 일본부인이시었습니다. 키는 서양부인들보다 별로 틀리지 않을 만치 큼직하신 분인데, 교수하시는 법이 매우 치밀하신 것 같아 보였습니다. 마침 문애영 이라고 하는 생도가 혼자 일어서서 독본 낭독을 하던 중이었습니다. 거침없이 줄줄 내려읽는데 발음 같은 것도 비교적 잘하는 모양이었습니다. 이제 학반 구경을 모두 하였습니다. 다음에는 북편으로 떨어져 있는 이과실험실을 보았습니다. 이 방에 설비는 매우 부족하였습니다. 그 곁에는 널찍한 마루방이 하나 있는데 이 방은 일주일에 한 번씩 매우 분주해지는 방이라 합니다. 기숙사의 면회실입니다. 매주 토요일이면 한 번씩 쓰는 방인데 방 한가운데는 난로가 놓여있고 변두리에는 걸터앉을 자리가 있으며, 그 위에는 초방석[223]들을 깔아놓았습니다. "에구머니, 아버지, 오셨네. 어

---

222) 꿇다: 잘잘못을 따져서 평가하다.
223) 초방석(草方席): 풀로 결어 만든 방석.

머니 오셨습니까. 오빠 오셨소." 하고 반가이 만나보는 기쁨의 방이라 합니다. 그담에는 다시 본실로 돌아와서 기숙사를 구경하였습니다.

지금의 기숙실 수효는 2방이요, 교원의 방이 3방이라 합니다. 기숙생 수효는 72인이라 하며 기숙비는 매달 8원씩이라 합니다.

방마다 조그만, 큼직한 침대들이 방에 따라서 3개, 4개 혹 5개씩 놓여있으며 한가운데는 책상이 놓여있습니다. 한구석에는 의걸이 같은 장 혹은 책장들이 놓여있습니다. 침대에는 깨끗해 보이는 이부자리가 덮여있고 창에는 문장이 걸려있습니다. 난방장치로는 수징기224)가 있고 붉은 전등이 있습니다. 이방 저방 구경하다가 한곳에 이르니 이곳은 병실이라고 합니다. 병실이 되어서 그러한지 우선 들여다보기만 해도 어째 싫은 생각이 나며 퍽 쓸쓸한 것 같았습니다. 하여간 나는 이 방은 영구히 비어있기를 기도하였습니다. 또 한군데 이르니 이곳은 목욕실, 세면실, 변소 합친 방이었습니다. 한가운데는 사기 세면기와 찬물 더운물이 마음대로 나오는 수통 아가리가 두 줄로 죽 둘러 놓였으며 한편에는 목욕탕이 있고

---

224) 라디에이터로 추측된다. 원 표기: 수징긔. 정신여학교가 4층 벽돌 건물이고 기숙사 세면실에 찬물과 더운물이 나오는 수도가 있다는 것으로 보아 물을 덥히는 장치, 즉 보일러가 설치된 것으로 보인다. 보다 정확한 사항을 확인하기 위해서는 정신여학교의 건축 도면이 필요하나, 이를 구하지 못하여 일제강점기 관립 기숙사를 연구한 한 논문을 참고했다. 이 논문에 따르면 조사 대상인 76곳의 기숙사 중 온수난방 기숙사가 3곳, 증기난방 기숙사가 1곳이다. 온수난방 기숙사는 모두 1930년대 이후에 건설된 곳인데 3건 모두 목조건물에 2곳은 2층, 1곳은 1층 건물이다. 증기난방을 설치한 곳은 함흥자혜의원 간호부 기숙사로 이곳은 1919~1920년대에 지어진 2층 벽돌 건축물이다. 온수난방 증기난방은 모두 실내에 라디에이터, 즉 방열기를 설치해야 했다.(출처: '일제강점기 관립시설의 부속 기숙사 계획도면에서의 창문의 방한계획과 온돌 설치의 특징', 주상훈, 대한건축학회논문집 제38권 제8호, pp. 139-141, 대한건축학회) 건축 재료와 층수, 시대상을 고려했을 때 정신여학교 기숙사의 난방은 증기난방이었으며 수징기는 라디에이터인 것으로 추측할 수 있다.(역자)

그 맞은편에는 변소가 있었습니다. 그런데 이러한 방이 양편 끝으로 하나씩 둘이나 있었습니다. 또 한방에 이르니 이 방은 도서실이올시다. 크지 못한 살림으로서는 흉은 못 볼 도서실이었습니다. 일문, 영문의 도서가 양편으로 나뉘어 꽂혀있었습니다. 그런데 생도들은 누구든지 갖다 볼 수 있는 것이라 책이 매우 많이 나가고 들어오지 아니한 모양이라고 김 선생님께서는 과장을 해 말씀하시었습니다. 맨 밑층 한편 넓은 방에 이르니 이방은 식당으로도 쓰고 음악실로도 쓰고 집회실로도 쓰는 아주 닥치는 대로 쓰는 방이라고 합니다. 방 북편 구석에는 피아노 한 대가 놓여있고 또 한 모퉁이에는 초방석들이 잔뜩 쌓여있고 식탁들이 쌓여있었습니다. 이 방에서는 음악 소리가 끊일 사이가 없다고 합니다. 참말 행복스러운 방이올시다. 그 뒤로는 부엌과 찬간이 있는데 큰 가마솥이 죽 걸리고 정신이라고 쓴 사기그릇들이 놓여있습니다. 여기는 사감으로 계신 방신영 선생님의 재바른[225] 살림살이로 그날그날 화목하게 정답게 사랑스럽게 복스럽게 지내가는 방이라 합니다.

이제 기숙생의 기숙에 대한 일과를 들으면 이러합니다. 첫째 기숙생은 시집을 아니 간 처녀라야만 된다합니다. 시집간 사람이면 그는 처녀들이 듣지 않아도 좋을 이야기를 들려주는 것을 피하고자 하는 것이라 합니다. 다음에 시간 배정으로 말하면, 아침 5시 55분에 일어나라는 종소리가 들리면 일제히 일어나서 의복 입고 방 치우고 세수한다고 합니다. 6시 40분에는 기도실에 모여서 7시까지 아침기도를 드리고 나서 7시부터 7시 30분까지 사이에 아침밥을 먹고 잠깐 복습들을 하다가 상학을 한다 합니다. 점심시간은 오후 12시 30분부터 1시까지에 마치고 저녁시간은 5시 30분에서 6

---

225) 재바른: 동작 따위가 재고 빠르다.

시까지에 마친다 합니다. 그다음에 6시부터 7시까지 1시간 동안은 음악실에서 노래하는 사람, 밖에서 술래잡기 까막잡기[226] 등 온갖 재미스러운 유희를 하는 사람, 방 안에서 토론하는 사람, 한담하는 사람 등으로 즐겁게 노는 시간이라 합니다. 그리하다가 7시부터 9시까지는 복습시간이요, 9시부터 9시 30분까지는 취침시간이라 합니다. 10시에는 일제히 등불을 끄고 온 기숙사는 복스러운 꿈 세상에 들어간다 합니다. 그런데 음식 기타가 모두 가족 덕이요 조금도 쓸쓸하거나 복잡지 아니하다 합니다.

그런데 이 학교 생도 중에 그중 재주 있고 공부 잘하는 학생을 각급에 한 사람씩 들어 볼진대 고등과의 1년에 김춘녀 15세, 2년에 이옥영 18세, 3년에 이혜영 20세, 4년에 주수원 14세, 보습과 1년에 최영순 18세,=보습과 2년에는 단지 3사람뿐인 고로 별로 특별한 사람을 추려낼 수가 없다고들=인데 이 중에 고등과 4년 주수원이란 아가씨님은 나이는 그중 어리건만 전교에서 이만큼 투철히 재치 있는 사람이 없다고 합니다. 생김생김도 조그맣게 생긴 아가씨가 무엇에든지 능통하다 합니다. 아주 학자님으로 생긴 아가씨라 하며 그다음에는 보습과의 최영순이란 아가씨님이니 이분은 음악 대가라 합니다. 특히 독창에 명인이요 매우 씩씩한 분이라 합니다. 그다음에는 3년의 이혜영이란 아가씨님이신데 이분은 사형제분이 이 학교를 다니신다는데 아침에 한꺼번에 사형제가 나란히 교문에 들어올 때는 이 학교는 사형제의 학교 같은 생각도 난다합니다. 이분은 보수당으로 건실하게 공부하는데 으뜸이라고 합니다.

이제 그만 쓰겠습니다. 지면도 용서치 않고 여러분도 지루하실

---

226) 까막잡기: 술래가 수건 따위로 눈을 가리고 다른 사람을 잡는 놀이. 잡힌 사람이 그다음 술래가 된다.

테니까요. 다음에는 어디를 갈는지 좀 더 충실히 쓰겠습니다. 첫나들이에 그중 유감으로 생각한 것은 이 학교 생도라고는 잘 아는 사람도 없고 학교에서 학생과 만나게 하는 것을 기뻐하지도 않는 까닭에 생도들의 학교에 대한 만족 불만족이라든지 선생님에 대한 족 부족이라든지 이밖에 재미스러운 이야깃거리를 얻지 못한 것이 한이올시다.

신간 소개

녹파회 동인 합작집

성군[227]

전문 500여 장[228]

정가 1원 30전

녹파회 동인들의 창작을 모은 것이니 희곡 6편, 소설 9편,

기타 시, 동화, 동화극, 시극 등 18편

개성 북본정

발행소 문화관

진체[229] 사구○칠

---

227) 성군(星群): 천구(天球) 위에 군데군데 몰려 있는 항성의 집단. 구상 성단과 산개 성단 따위가 있다.

228) 원 표기: 엽(頁)

229) 진체(振替): 어떤 금액을 한 계정에서 다른 계정으로 대체하는 일. 또는 그 계정.

집구석에서 빠져나와 학교에 다니기까지: 계동 채현양

저는 신여성 잡지와 또 임성숙 씨의 앞에 제 일생에 잊지 못할 감사를 드리기 위하여, 말씀을 아니 쓸 수 없습니다.

감옥에서 놓여나온 사람? 분명히 그렇습니다. 저는 감옥에서 놓여나온 사람입니다. 시골 촌구석에서 완고한 집안에 태어난 여자! 그는 불쌍하게도 그대로 햇빛을 못 보고 깊은 규중에서만 길러 출가한다는 이름 아래에 모르는 남자의 손에 끌려가서 또 죽는 날까지 그대로 방문 속에만 있다가 사라질 불쌍한 운명을 제대로 가지고 태어나는 것이었습니다.

제가 역시 그러한 한사람이었습니다. 부모는 완엄하시기 끝이 없어서 저의 오빠는 보통학교에 보냈어도 저는 계집애란 까닭으로 학교는 사려[230] 대문 밖에도 내다보지 못하게 하셨습니다.

그때 저의 평생소원은 나도 남같이 학교에 다녔으면 하는 것일 뿐이었습니다. 그러나 어떻게 하겠습니까. 그런 말씀만 들어도 큰 변으로 알고 꾸짖으시는걸요.

그런데 저의 오빠는 그때 보통학교 3년급에 다닐 때였는데 어린 마음에도 저를 공부시키고 싶어 하셨습니다. 공부시키는 것보다도 남의 집 남매같이 둘이 똑같이 책보 끼고 학교에 다니고 싶었다 합니다.

그래서 오빠는 날마다 조르느라고 울고불고 밥도 안 먹고 졸라대어서 기어코 아버지의 승낙을 얻어 저도 평생소원의 보통학교에 다니게 되었습니다.

학교 공부는 재미를 붙여하는 고로 통신부를 받아올 때마다 여

---

230) 사려하다(思慮): 근심하고 염려하는 따위의 여러 가지 생각을 하다.

러 가지가 모두 갑(甲)뿐이었습니다. 그래서 아버지께서도

"그년이 제주는 좋으이." 하며 기뻐하셨습니다. 오빠도 모두 갑이었습니다. 단 한 가지 창가는 나만 못하여 매양 을(乙)이었습니다.

이렇게 성적 좋게 보통학교는 졸업하였습니다. 그러나 보통학교를 졸업하고 나니 경성 유학 갈 생각이 더욱 간절하여서 경성에 가서 고등학교에 못 다니면 당장에 죽을 것 같이 생각되었건만 이번에야말로

"계집애 공부가 그만하면 족하지." 한마디 말씀으로 영영 듣지 아니하셨습니다.

부모의 엄명이라 어쩌지 못하고 꼼짝도 못 하고 갇혀있는 참말 생각할수록 감옥에 갇혀있는 죄인 같았습니다. 애타는 한숨으로만 그날그날을 보내었고 방학 때마다 서울서 오빠가 돌아오면 간신히 제 마음을 위로해 줄 뿐이었습니다. 오빠도 나를 서울까지 데리고 가서 고등학교에 다니게 하려고 별 꾀를 다 생각하는 모양이었으나 별수가 없었습니다.

그러나 살아날 길은 생겼습니다.

서울에 있는 오빠가 신여성 잡지에서 임성숙 씨의 나의 회상이란 글을 읽고 그중에도 특별히 임 씨의 고학생활 중에 "유의면 사경성"이란 말에 깊이 감동되어 결심한 것으로 저에게 편지하고 곧 따로 아버지께 편지하여 저의 남동생 한 사람을 마저 상경시켜서 서울서 공부하게 하고 또 그 편의를 위하여 저더러 올라와 밥이나 지어주고 옷이나 꿰매달라 하여 저도 상경하였습니다. 집에서는 지금까지도 저는 집이나 지키고 밥이나 옷 일만 하고 있는 줄 아시지만 저는 학교에 잘 다니며 공부 잘하고 있사오니 참으로 감옥에

서 나와서 처음 햇빛을 보는 것 같고 희망이 있는 것 같습니다.

신여성 잡지와 임성숙 씨! 저와 저의 오빠는 저의 평생에 이 감사를 잊지 못할 것입니다.

즐거웠던 정월231)과 괴롭던 정월

세 번 즐거움과 세 번 괴로움: 경성 권농동232) 김주명

이 사람의 나이는 지금 바로 이팔이올시다. 아니 이팔청춘이라는 그 이팔, 즉 16이 아니라 28세라 하는 좀 섭섭한 말씀이외다. 이 28년 동안 별로 즐거웠던 일도 없었지만, 그래도 그동안 즐거웠던 이야기는 다 정월에 모아있게 되고 또 슬펐던 이야기도 다 정월에 있게 됨이 좀 이상하올시다.

이번 신여성사에서 '여러분의 금년까지의 제일 즐거웠던, 제일 기뻤던 또는 제일 슬펐던 정월 이야기를 써 보내주시오.' 하는 글을 보고 이 사람의 지난 28년간에 제일 즐거웠던 또는 제일 슬펐던 정월이야기를 하고자 합니다.

우리 인생에서 제일 즐거운 때가 언제일까? 이러니저러니 해도 이 세상이 혹은 쓰다 혹은 달다 하여 세상에 나온 것을 주저233)하는 사람도 없지 아니하나 그러나 우리 일생의 제일 즐거운 날이 아마 자기의 생일이라 하겠지요. 그러기에 무슨 명절보다 어느 축일보다 즐겁게 기념하는 때가 생일이 아닙니까. 이 사람이 지금부터 28년 전 즉 병신234) 정월 4일에 났습니다. 나의 생일이 정월 4

---

231) 정월(正月): 음력으로 한 해의 첫째 달.
232) 권농동(勸農洞): 서울특별시 종로구의 법정동.(출처: 두산백과) 종묘 서편의 한국색동박물관 부근에서 창덕궁 입구까지의 지역이다.(출처: 네이버 지도)
233) 주저(呪咀): 남에게 재앙이나 불행이 일어나도록 빌고 바람. 또는 그렇게 하여서 일어난 재앙이나 불행. 저주.
234) 병신(丙申). 원 표기는 병진(丙辰)으로 되어있다. 그러나 병진년은 양력 1856년으로 1923년 당시 나이가 67세가 된다. 필자가 밝힌 나이 28세로 추적하면 그의 생년갑자는 병신년(丙申年)이며, 양력 1896년이다. 추측하건대 진(辰)의 한자가 지지 진(辰), 날 신(辰) 두 가지로 읽혀 원 표기처럼 표시한 듯하다.

일이올시다. 그런고로 해마다 이날에는 좋은 의복을 입고 맛난 음식을 먹고 1년 중 제일 즐겁고 제일 기쁘고 제일 재미있게 보내나이다.

또 일생 중 생일 다음 가는 즐거운 날이 언제일까요? 누구나 다 학교에 다녀본 이는 아시겠지만 여러 해 동안 혹은 여러 달 동안 애써 공부하다가 학업을 마치는 날, 즉 졸업식 날이겠지요? 이 사람 18세 되던 해, 즉 지난 갑인235) 정월 30일에 수원권농모범장236) 여자잠업강습소237)에서 졸업장을 받았소이다. 그때 즐거웠던 이야기야 어찌 말로 다하리까. 더구나 그때 비교적 어린이로 또는 양호한 성적으로 졸업함이리오.

그리고 또 제가 19세 되던 해, 즉 을묘238) 정월 4일 즉 생일이 올시다. 이날은 신랑을 맞는 결혼식이었소이다. 이날도 일생 중 즐

(역자)

235) 갑인년(甲寅年): 양력 1914년.

236) 수원권농모범장(水原勸農模範場). 권업모범장(勸業模範場): 1906년 일제 통감부가 우리나라에서의 농업기술의 시험·조사 및 지도를 위해 설치한 기관. 1905년 을사조약 이후 일본은 우리나라의 농업을 일본자본주의 체제로 편입시키기 위해 우리나라 농업구조의 개편을 서둘렀다. 조선인에게 '농사개량'이라 선전하며 농업기술의 변경을 강요했는데 여기에서 '개량'은 일본 농법을 우리나라에 그대로 이식함에 지나지 않았다. 그러므로 시험·조사보다는 지도·권장에 중점이 있었다. 농사개량을 위해 통감부는 1906년 4월 <통감부권업모범장관제>를 발표했고, 6월 15일 경기도 수원에 권업모범장을 창설했다. 1920년대에 들어와서는 산미증식계획에 따라 종자개량을 통해 증산에 기여했다. (출처: 한국민족문화대백과사전)

237) 여자잠업강습소(女子蠶業講習所). 잠업시험장(蠶業試驗場): 양잠·제사·견 가공에 관한 시험·연구를 하는 농촌진흥청 소속인 농업과학기술원의 한 부서. 1900년 11월 농상공부 잠업시험장이 경성 필동에 설치되었다가 1905년 서강으로 이전하여 기능이 상실되었다. 1913년 3월 조선총독부 훈령에 따라 권업모범장이 설치되어 그 소속하에 원잠종제조소(原蠶種製造所)를 수원에 설치하여 원잠종제조와 잠업기술자 양성을 주로 하다가 1917년 6월 조선총독부 훈령에 따라 원잠종제조소를 잠업시험소로 개편하여 잠업연구사업을 본격화했다.(출처: 한국민족문화대백과사전)

238) 을묘년(乙卯年): 양력 1915년.

거운 날이라면 제일 즐거운 날이겠지만 그때 생각에는 즐거운 날
인지 어쩐지 모르겠어요. 어째 그런지 가슴이 두근두근하기만 해
요. 그러나 여하간 즐거웠던 날은 즐거웠던 날이었겠지요. 그러기
에 세상 사람들이 길일이니, 길신[239]이니 하겠지요. 이상 3일 즉
정월 4일은 생일이오, 정월 30일은 졸업식일이요, 정월 4일은 결
혼식이었습니다. 이 세 날이 제일 즐거웠던 또는 항상 즐거울(생일
만) 정월 이야기올시다.

아! 이 사람이 제일 즐거웠던 정월 이야기가 있음과 같이 제일
슬펐던 정월 이야기가 또한 없지 않소이다. 때는 지금부터 6년 전
공전절후[240]한 우리○○운동이 일어나던 바로 이듬해[241] 경신[242]
정월 20일이었소이다. 참- 이날의 서러움이야말로 글로도 다 쓸
수 없고 말로도 다 할 수 없었소이다. 남편[243] 되는 이는 ○○사
건(事件)으로 영어[244]의 몸이 되어 1년이 지나도록 예심[245]도 끝
나지 않으니 처(妻)권 된 이 몸이 울민하고[246] 애탐이야 어디 비
할까요. 그런 중에 알지 못하는 아무 생각이 없는 세상 사람의 말
은 참말 무섭겠지요. 그 사람이 옥에서 죽고 살아오지 못할 걸 상

---

239) 길신(吉辰): 길한 시절. 운이 좋거나 상서로운 날.
240) 공전절후(空前絶後): 이전에도 없었고 앞으로도 없음.
241) 1919년 3·1 운동을 뜻한다.
242) 경신년(庚申年): 서기 1920년.
243) 오봉빈(吳鳳彬). 우리나라 최초의 전시기획자로 화랑(畵廊) 역사에 큰 업적
　　을 남긴 인물이다. 중국 상해에서 도산 안창호와 항일운동했으며 3·1 만세운
　　동 직후 체포되어 징역 6년, 집행유예 6년을 선고받았다.(출처: 두산백과)
244) 영어(囹圄): 죄인을 가두어 두는 곳. 한때 형무소라고 부르다가 현재 '교도
　　소'로 고쳤다.
245) 예심(豫審): 구형사 소송법에서 공소 제기 후에 피고 사건을 공판에 회부할
　　것인가의 여부를 결정하고 아울러 공판에서 조사하기 어렵다고 생각되는 증거
　　를 수집하고 확보하는 공판 전의 절차. 보통은 예비 심사라는 의미로 두루 쓰
　　인다.
246) 울민(鬱悶)하다: 마음이 답답하고 괴롭다.

해에 가 있다 잡혀 왔는데 꼭 죽지 꼭 죽지 하겠지요. 그러나 오직 시아버지[247] 한 분은 그렇지 않았소이다. 항상 강인하여서라도[248] 웃는 낯으로 "얘야 아무 걱정 말아라. 너의 남편은 곧 나온다. 머지않아 곧 금년 4월 5일 전으로는 나오느니라." (그 후 사실은 적중) 이런 말씀으로 하루도 몇 번씩 나를 위안하여 주셨습니다. 그리하시다가 불의의 병도 오래 앓지 않으시고 그 어른이 이 세상을 떠나시니 이때의 서러움을 어찌 다 말하겠습니까?

그 이듬해 즉 신유[249] 정월 9일이었소이다. 친어버이나 시어버이 중 오직 한 분이시던 시어머니께서 이 세상을 떠나시게 되니, 이날 역시 시아버지(친부모는 유시[250] 환원[251]) 돌아가실 때보다 못지않게 서러웠소이다.

이러고 보니 정월과 저와는 참 별 인연이외다. 이 사람의 일생 중 제일 즐거웠던 날, 제일 슬펐던 날이 다 이 정월에 있었소이다. 여러분은 어떠신지요.

한 일에 괴롭고 즐거웠던 나의 정월: 최순복 여사 담

정월 이야기를 하시라니 말씀이지 이로부터 11년 전이외다. 내

---

247) 오현서(吳顯瑞): 천도교 영변교구장.(출처: 북촌 사람들, 우경산방 오봉빈.(심암 이동초_서울교구, 2020. 5. 22.) 국사편찬위원회의 한국사데이터베이스 내 한민족독립운동사자료집에 보면 오현서의 조서가 남아있다. 번역본은 부록 참조. (p. 131)

248) 원표기: 강익하야서라도

249) 신유년(辛酉年): 서기 1921년.

250) 유시(幼時): 어릴 때.

251) 환원(還元): 천도교에서 사람의 죽음을 이르는 말.

가 시집온 지 바로 3년 뒤인데 그 전해 4월부터 생전 처음 첫애를 배였습니다. 그러니까 이듬해 정월달이 바로 해산월이 아니에요. 이때 나는 퍽 괴로웠습니다. 배는 차차 불러오고 해산은 거의 임박하였는데 이놈 어떻게 해산을 할지 참말 자나 깨나 근심이었습니다. 가만히 서 아기 낳을 생각을 하니 참말 기가 막힙니다. 순산이나 될는지, 혹 가로막히지나 않을는지 아이 낳다가 죽은 사람도 있다는데 또 죽은 애도 낳는다는데 아이고 어찌할 고- 하고 참말 평생 처음으로 괴로움을 느꼈습니다. 나뿐만 아니외다. 나의 남편 나의 부모 온 가족이 그렇게 근심·걱정으로 지냈었습니다. 급기야 정월 스무엿샛날을 당하였습니다. 정말 해산일이외다. 배가 아프고 사지가 저립니다. 나는 죽누나 하고 그만 땅을 치며 돌아갔습니다. 얼마 만에 순산이 되었습니다. 아들이외다. 첫아들이외다. 잘생겼습니다. 어떻게 시원하고 기쁜지요. 날 것 같았습니다. 온 집안이 그만 입이 탁 벌어졌습니다. 예서 더 기쁜 일이 어디 또 있겠습니까. 아이로 말미암아 남편의 사랑, 부모의 사랑이 한꺼번에 모여드니 얼마나 기쁘겠습니까. 그 애가 지금 11살인데 ○○보통학교 4년급이외다. 그밖에 여간 괴롭고 즐거웠던 일이야 말 다해 무엇하겠습니까.

가장 즐거웠던 12년 전의 정월: 국자가보통학교[252] 김영희

지금부터 12년 전의 정월은 제가 12살 되던 해의 정월인데, 너무도 즐거웠던 일이기에 글 쓸 줄은 모르지요만 부끄러움을 무릅

---

252) 국자가(局子街): 중국 연길(延吉, 옌지, Yanji)

쓰고 몇 마디 써보겠습니다.

저는 어렸을 때부터 아버지는 세상을 떠나시고 다만 어머니와 오라버니만 모시고 있었습니다. 그런 중에도 오라버니는 제가 여덟 살 된 때부터 순사가 되셔서 함북 명천 가서 근무하시느라고 여러 해 동안이나 집에(함북 회령)253) 계시지 않았습니다. 그때 저는 학교에 다니고 싶어서 어머니와 학교에 부쳐달라고 여러 가지로 애걸을 했으나 어머니는 완고의 사상으로 계집애가 학교에 가서는 무얼 하며 공부는 해서 어디다 쓴다 드냐 하고 어떻게 야단을 치시는지 다시는 어머니와 그런 말을 하지도 못하고 혼자 생각으로 오라버니나 돌아오시면 청을 드려보겠다 하고 밤낮 오라버니 돌아오시기만 고대하고 있었습니다. 그러나 오라버니는 1년이 지나고 2년이 지나도록 한 번도 집으로 돌아오시는 일이 없었습니다. 저는 그때 어떻게 오라버니 보고 싶던지 무어라고 형언할 수 없었습니다.

그렇게 고대하던 오라버니가 집을 떠나신 지 3년 만에야 집으로 설 쇠러 오시느라고 바로 섣달그믐날254) 저녁에 들어오셨습니다. 그것이 지금부터 12년 전의 정월인데, 그립고 그립던 오라버니와 오래간만에 서로 만나서 너무도 반가운 김에 시간 가는 줄도 모르고 삼모자녀(三母子女)가 마주앉아서 재미있는 이야기로 밤을 새웠습니다. 저는 학교에 다니지 못해서 애쓰던 이야기도 많이 했습니다. 그리고 이번에는 꼭 학교에 붙여달라고 간청을 했더니 오라버니는 "그려."라고 승낙할 뿐 아니라 지금시대에는 남녀의 차별

253) 함경북도 회령은 현재 회령시로 중국 연변, 러시아와 가까운 국경 지역이고, 함경북도 명천은 현재 명천군으로 회령에서 남쪽으로 약 200km가량 떨어져 있다.(역자)
254) 섣달그믐: 음력으로 한 해의 마지막 날.

이 없는 것이니까 물론 여자도 교육을 시키지 않으면 안 된다고 여러 가지로 어머니와 말씀을 하시더니 어머니도 그때에야 조금 양해하시고 저를 학교에 입학시키기로 아주 결정하셨습니다. 저는 그때 어떻게 기쁘던지 막 날뛰었습니다. 그리고 날이 밝자마자 해서 여러 동무들한테 가서 엊저녁에 우리 오라버니가 오셨는데 나를 학교에 입학시키잔다 이제부터는 나도 너희들과 같이 학교에 다니겠다 하고 함부로 자랑을 하면서 돌아다녔습니다. 어쨌든 저는 그해의 정월같이 즐거웠던 일은 이때껏 별로 없었습니다. 어렸을 때의 마음에 너무 즐거웠던 일이었으므로 되지 않는 말로 순서 없이 썼사오니 용서하시고 보십시오. 끝.

선생님 품에 안기던 그때의 기쁨: 조천

몇 해 전 내가 여덟 살 때이외다. 어린 마음에 안타깝게도 기다리던 정월 1일 바로 설날은 돌아왔습니다. 나는 그날 밤, 밤새도록 자지 않고 놀았습니다. 속담에 섣달그믐날 잠을 자면 눈썹이 세인다나요. 그 말을 어린 마음에 그대로 믿고 자지 않고 밤을 새였습니다. 윷도 놀고 조개질255)도 하고 신수256)도 보고하여 매우 즐겁게 놀았습니다.

나는 아침 일찍 일어나 세수하고 새 옷 입고 옷 자랑 겸 돈 얻기 겸 할아버지와 할머니께 세배를 드렸습니다. 할아버지와 할머니는 기뻐하시면서 왜떡 사 먹으라고 돈 20전을 주시면서 "이제는

---

255) 조개질: 공기놀이.
256) 신수(身數): 한 사람의 운수.

여덟 살이지. 어서 커야 시집가지." 하시며 매우 사랑하십니다. 나는 할아버지 무릎에 앉아서 희고 부들부들한 수염을 쓰다듬어드리니까 할아버지는 더욱 반겨하시며 뺨을 문질러주시면서 아버지 어머니께는 세배 아니 드리냐 하시기에 나는 곧 일어나 아버지, 어머니께 세배를 드리고 "올해부터는 학교에 보낸다고 하셨지요. 네 아버지. 학교에 가요." 하니까 아버지는 빙그레 웃으면서 "네가 족히 학교에 갈까. 학교에만 가면 장한가. 공부를 잘해야지." 하셨습니다. 나는 우리 집 이웃에 사시는 학교 선생님께 세배를 갔습니다. 선생님은 내가 세배를 미처 하기 전에 "오 ○○냐. 모시고 환세[257] 잘했니." 하시며 나의 손을 잡아끌려 합니다. 나는 어설프게 꿇어앉으며 세배를 하니까 "오 착하다. 한 살 더 먹어오니까 더 어른스럽구나." 하시며 나를 끌어당겨 안아줍니다. "선생님 나는 올해부터는 학교에 다녀요. 우리 아버지가 다니라고 했어요. 네 선생님." 하니까 선생님은 나를 얼싸안으시며 "그래 학교에 다녀. 음, 공부하면 좋은 사람 되지." 하시며 나의 뺨에 입을 맞추어줍니다. 이때 나의 기쁨이야말로 무어라 형언할 수가 없었습니다. 영영 잊지 못할 기쁨이었습니다. 아주 재미[258]없는 소녀의 정월 초하루의 선생님 키스를 받으며 공부를 말하던 기쁨이야 나의 평생을 대표하는 기쁨이라 합니다.

---

257) 환세(換歲): 해가 바뀜. 설을 쇰.
258) 원 표기: 잡미(雜味)

두 번 즐거웠던 나의 정월: 춘희

12년 전 내가 19살 채 되는 때이외다.

시골하고도 산골뜨기가 어찌어찌하여 6개월 기한으로 서울 맛을 좀 보니까 어찌도 좋고 기쁜지 서울에서 죽을지언정 시골로는 꿈에도 가고 싶지 않지요. 그렇지만 할 수 없는 엄명 하에서 도수장259)으로 끌려가는 소 모양으로 억지로 끌려 내려갔지요. 내려간 그날부터 자나 깨나 서울이 눈에 훤한 것이 도무지 살 수가 없겠지요. 이리로 저리로 두루 서울 재행(再行)의 도(道)를 꾸었겠지요. 그리한 결과, 정월 1일 설날 아침이겠지요. 아버지로부터 재차 서울 유학의 반갑고 기쁜 승낙이 내리시겠지요. 아 좋아라고 꿈이냐 생시냐 너무 기뻐서 금방 죽어도 한이 없겠지요. 의식적 쾌열260)을 느끼기는 이때가 나의 평생 처음이었습니다. 다음은 지나간 신유261) 1월 1일 동경 유학의 길262)에 취한 것이 두 번째 기쁨이외다.

---

259) 도수장(屠獸場): 고기를 얻기 위하여 소나 돼지 따위의 가축을 잡아 죽이는 곳. 도살장.
260) 쾌열(快悅): [중국어] 유쾌하다. 즐겁다.
261) 신유(辛酉). 원 표기: 신유(申酉).
262) 원 표기: 도(途)

색상자

◇ 동경서 여자의학전문을 졸업하고 형세 험난한 독일로 유학을 간다고 극히 반가운 소식을 전하던 서울 길○○ 양은 고국 본댁에 돌아온 것이 불행이 되어 집안에 붙들려서 소원의 독일행이 틀어지게 되었다고요. 이 섭섭한 소식의 까닭을 알려거든 청진동 그 댁에 가서 독일 이야기를 꺼내보십시오. 길 양의 조모님이 제일 먼저 그 소식을 부인하실 터이니요.

◇ 한창때 조선악단의 여왕이라고 그 이름을 떨치던 이화학당 임배세 양의 그림자가 안보이니까 혼인을 했으니 숨어들어 앉았느니 하고 가지가지의 소문이 있으나 실상은 작년 첫 가을 하와이의 고구263)방문단이 돌아갈 때 동행해서 하와이로 가서 지금은 그곳 조선인학교에서 교편을 잡고 선생님 노릇이 바쁘답니다.

◇ 미국 소식이 났으니 또 한 가지 역시 당시의 이화학당 중의 여왕이던 김활란 양은 미국 ○○○주 ○○○대학에서 열심 연구하던 중 지난달 중에는 유행 감기로 병구가 심하다더니 최근에 온 소식에는 좀 나아서 간신히 출입은 하게 되었다고요.

◇ 서울 안동 육거리 사립 동덕여학교 안에 있는 교직이의 방은 요사이 번창 대번창이라지요. 하학종만 치면 크고 작은 학생들이 교직이 방으로만 몰려든답니다. 그려, 무엇이 있는가 하고 들여다보면 그 학교 고등과 3학년 학생 김 양, 아니 김 부인이 시집간

---

263) 고구(考究): 자세히 살펴 연구함.

후에도 공부는 부지런하더니 이 사이는 옥 같은 아드님을 낳아서 하인 시켜 업혀 가지고 와서는 하학종만 치면 교직이 방으로 나와서 젖을 먹이는데 가슴을 풀어헤치고 젖먹이는 구경이 신기하여서 동무들은 모여들어 깔깔거린답니다. 그럴 때마다 나이 어린 어머니의 말씀 "이제 너희들도 시집을 가보려무나……."

◇ 김 씨하고 나 씨하고 기쁜 중에 낳았대서 김라열이라고 이름 지어 애지중지하여 기르던 나혜석 여사의 따님은 세전264)에 천국 길을 떠났답니다. 두 번째 산모 될 준비 중에 있다고 기뻐하던 여사가 그야말로 일희일비 중에 달콤쌉쌀 과세265)를 하였다고요.

-이것은 안동현 통신-

---

264) 세전(歲前): 설을 쇠기 전.
265) 과세(過歲): 설을 쇰.

[가정 상식] 음식 조리하는 법에 대하여: 방신영[266]

무슨 아는 것이 있어서 붓을 드는 것은 아니고, 다만 서로 일깨워 나가자는 뜻 하나로써 시작하여 보려고 합니다. 인생 생활의 중요한 것은 의, 식, 주, 이 세 가지입니다. 그중에도 제일 중요한 것은 음식인데, 여기대하여 조금 의견을 진술코자 합니다.

그런데 제 생각에는 우리 민족에 한하여는, 의복이나 음식이나 집이나 사람을 위하여 있는 것으로 생각이 아니 되고 사람이 의복과 음식과 집을 위하여 있는 것 같이 생각이 됩니다. 왜 그러냐 하면 우리 조선 사람들은 흔히는 음식을 입에 맞추어 만들지 않고 입을 음식에 맞추어 먹으며 집을 사람의 위생에 적당케 짓지 않고 위생에 부적당한 작고 좁은 집을 지어서 그 속에 억지로 들어서 사는 까닭입니다.

그러면 어찌할까요. 우리가 이것을 급히 고쳐야 할 것이니 우리부터 실행하여 봅시다.

이제 음식 한 가지만 들어 말하더라도 할 수 있는 대로 음식을 소화하기에 쉽고 위생에도 적당하며 또 입에 맞도록 하여야 할 것입니다.

또는 때마다 음식을 바꾸어 먹는 것이 대단히 좋습니다. 우리는 이런 일에 등한하여 바꿀 줄을 모르나니, 가령 김치, 깍두기, 찌개, 국, 장아찌면 아침에도 점심에도 저녁에도 오늘도 내일도 진저리가

---

266) 방신영(方信榮): 일제강점기에 영양학과 가정학을 근대과학 및 대학교육과정으로 정립하는데 기여한 학자, 교육자. 저서로는 『요리제법』, 『조선요리제법』 등이 있다. 1910년 정신여학교를 졸업했고 1926년부터 정신여학교 교편을 잡았으며 경성여자상업학교, 배화여학교 등에서도 강의했다. 1929년 이화여자전문학교 가사과 교수로 재직했고, 해방 이후 이화여자대학교 가정학과 교수로 근무했다.

나도록 계속적으로 거듭 놓는 습관이 많습니다. 이렇게 한즉 맛있는 음식도 맛이 없어집니다. 그런고로 이것을 변하여야 합니다.

가령 같은 음식을 가지고라도 아침에는 이렇게 만들고 저녁에는 저렇게 만들어서 보기에 먹기에 새로운 취미가 있도록 하면 얼마나 좋겠습니까. 이렇게 하면 음식을 대할 때 얼마나 취미가 있을는지 모르며 식용을 돕고 구미도 생겨 식사를 잘하게 될지니 위생상에 얼마나 큰 관계가 있습니까.

그런 즉 음식은 맛에나 모양에나 연구에 연구를 더하여 이렇게 저렇게 힘써 하여 봅시다. 그리하여서 건전한 몸을 일구어 봅시다.

이제로부터 이 잡지가 나올 때마다 음식 만드는 법을 한 가지씩 이야기하여 드리겠으니 독자 여러분은 이것을 참고로 삼아 서로 연구하여 장래에 좋은 음식이 생기게 되기를 바라나이다.

◎ 지지미 만드는 법

감자를 소용될 만큼 껍질을 벗겨서 물에 담가 잠깐 울려 가지고 한 푼267) 두께씩 되게 썰어놓고 (모양은 자유대로 썰어 하시오.) 연한 고기를 잘게 이긴268) 후 후 표고(물에 불려서 잘 씻어 가지고)와 석이(물에 담가서 불린 후에 펄펄 끓는 물에 잠깐 넣어 뜨거운 것을 손바닥으로 힘써 비벼서 검은 물을 다 **빼어버릴 것**)를 골패짝269) 만큼씩 썰어 넣고 파 이긴 것과 후춧가루 약간과 깨소

---

267) 한 푼: 한 푼은 한 치의 10분의 1로, 약 0.3cm에 해당한다.
268) 이기다: 짓찧어 다지다.
269) 골패(骨牌)짝: 골패의 낱장. 납작하고 네모진 작은 나뭇조각 32개에 각각 흰 뼈를 붙이고, 여러 가지 수효의 구멍을 판 노름 도구. 크기는 삼척시립박물관

금을 넣고 간장을 치고 간을 잘 맞추어서 잘 섞어가지고 솥이나 혹 냄비를 먼저 덥히고 기름을 좀 부은 후에 감자와 이 여러 가지를 다 섞어서 넣고 잘 익어갈 때 물을 조금만 쳐서 익혀놓고 찰전병이나 밀전병을 동전모양으로 작고 둥글게 부쳐서 감자 분량의 사분지 일[270]쯤 함께 섞어서 그릇에 퍼서 담고 계란 황백청[271]을 얇게 부쳐서 채 썰은 것을 색스럽게 뿌려 얹고 또 그 위에는 실백잣[272]을 뿌려서 상에 놓느니라. (애호박이 있을 때는 감자를 대신하여 애호박으로 하면 맛이 더욱 훌륭하니라.)

◎ 약식

재료: 찹쌀(상등미로) 1두[273] (신관두[274]), 참기름 160문[275], 밤

이 소장하고 있는 골패의 경우 가로 1.2cm, 세로 1.8cm이다(출처: 국립중앙박물관 e뮤지엄).

270) 사분지 일: 4분의 1

271) 계란 황백청: 달걀 흰자, 노른자. 한국 전통음식 '신선로'의 시대별 조리법에 의하면 『조선무쌍신식요리제법』(이용기, 1924)에서는 '계란황청백을 검은 장쳐 부쳐 썰어놓고'라는 표현이 나온다. 방신영의 『우리나라음식만드는법』(1956)에서는 '계란 황백미를 각각 얇게 지단을 부쳐서 같은 모양으로 썰어 넣고'로 설명한다. 이후 1980년대까지 요리법 설명에 '황백미'라는 표현을 쓰는 것으로 신문 아카이브에서 확인할 수 있었다. 시대를 거슬러 올라가 1809년 『규합총서』(빙허각 이씨)에 따르면 '달걀 흰자위와 노른자위를 따로따로 부치고'로 설명하고 있고, 1908년 『부인필지』(빙허각 이씨)에 의하면 '달걀 황백에 검은 장을 넣어서 부쳐'로 표현하고 있다. (출처: 한국 기록유산 Encyves '신선로', 네이버 신문 아카이브)

272) 실백(實柏)잣: 껍데기를 벗긴 알맹이 잣.

273) 두(斗): 부피의 단위. 곡식, 액체, 가루 따위의 부피를 잴 때 쓴다. 한 두는 한 되의 열 배로 약18리터에 해당한다.

274) 신관두(新官斗): 조선 전기 『경국대전』에 의하면 두(斗)는 길이 7촌 너비 7촌 깊이 4촌으로 용적이 196촌이었다. 헌데 관두(官斗), 시두(市斗), 이두(理斗)가 따로 있었다고 하며 서울과 지방이 서로 고르지 않았다고 한다. 그래서 1902년 평식원(平式院)을 설립하고 '도량형규칙(1902.10.10.)을 관보에 공포

한 되276), 대추 한 되, 흙사탕 7근277), 물 1홉278), 계핏가루 한 종자279), 실백 2홉

　먼저 대추를 정히280) 씻어 씨를 빼어놓고 밤은 속껍질까지 정히 벗겨서 숭덩숭덩 썰어 놓고, 이제 찹쌀을 정히 씻어 물에 불리되 모래 들지 않게 주의하여 여름에는 2시간만 불리고, 가을·봄에는 8시간쯤 불려가지고 시루에 시룻밑281)을 깔고 쌀을 건져 담아 솥에 안치고, 시룻번282)을 잘 바른 후 뚜껑 덮고 불 때어 지에283)를 쪄가지고 김이 다 올라 지에가 익을만하거든 곧 지에를 큰 함지에 쏟아놓고 급히 고명을 섞을지니, 먼저 밤과 대추를 넣고 주걱으로 골고루 섞은 후 사탕284)을 넣고 잘 섞어가지고(지에를 쪄서 오래

하여 광무 7년(1903) 7월 1일부터 시행하고자 했다. 미터법에 따른 단위의 변화였는데, 1905년에 이르면 1되가 0.6013리터에서 1.8038리터가 되었다. 1905년 을사조약 이후 1906년 통감부가 설치되고 식민지배 근간을 삼고자 1909년 <도량형법>으로 도량형의 명칭과 제도를 시행했다. 일본식 명칭으로 변경이었는데 1926년 조선도량형령을 공포해 일본 미터법을 공식적으로 사용하도록 했다.(출처: 한국민족문화대백과사전 '도량형' 여기서 말하는 신관두(新官斗)는 1905년 대한제국에서 시행한 도량형을 의미하는 것으로 보인다.(역자)

275) 문(匁): 일본의 중량 단위이다. 척관법에서 질량의 단위이고 1/1000관이다. 약 3.75그램. 우리나라의 '돈' 단위와 그 무게가 같다.
276) 원 표기: 일승(一升)
277) 근: 무게의 단위. 한 근은 고기나 한약재의 경우 600그램에 해당하고, 과일이나 채소 등은 한 관의 10분의 1로 375그램에 해당한다.
278) 홉(合): 부피의 단위. 한 홉은 한 되의 10분의 1로 약 180ml에 해당한다.
279) 종자(鍾子): 종지의 원말. 종지는 간장, 고추장 등을 담는 그릇인데, 그릇에 담아 분량을 세는 단위로도 쓰인다.
280) 정(淨)하다: 맑고 깨끗하다. 조심스럽게 다루어 깨끗하고 온전하다.
281) 시룻밑: 시루 안의 것이 새지 않도록 시루 밑동에 까는 기구. 가는 새끼나 댕댕이덩굴의 줄기 따위를 꼬아서 둥글게 엮는다.
282) 시룻번: 시루를 솥에 안칠 때 그 틈에서 김이 새지 않도록 바르는 반죽.
283) 지에: 찹쌀이나 멥쌀을 물에 불려서 시루에 찐 밥. 약밥이나 인절미를 만들거나 술밑으로 쓴다.
284) 사탕: 설탕.

두면 뜸이 들어 고명 섞기 어려우며 또 지에를 쏟아놓고 지체를 하여도 굳어서 고명 섞을 수 없으니 뜨거운 때에 즉시 섞을지니라.) 다시 시루에 담아 전과같이 떡 찌듯이 찌는데 물을 조금씩 **뿌려**가며 5시간쯤 쪄서 대춧빛이 검어지고 밤이 흠신 무르거든 뜸을 들여 그릇에 펴놓고 계핏가루를 조금씩 **뿌리고** 실백을 **뿌리니라.** (지에를 쪄가지고 고명을 섞을 때 밤알이 으깨지지 않게 고이 섞고, 또 섞기를 덜하면 잘 섞이지 못하여 희끗희끗하게 되나니 될 수 있는 대로 오래 잘 섞어 사탕과 고명이 골고루 섞이게 할지니라.)

살림살이 선생님 - 세간 매만지기: 지 생(기자)

살림살이를 하는데는 우선 집안을 깨끗하게 해야만 하겠습니다. 집안을 깨끗하게 하는 첫걸음으로는 세간을 깨끗하게 하여야 하겠습니다. 집안은 아무리 깨끗하게 하더라도 세간이 깨끗하지 않으면 깨끗한 세간살이가 되지 않습니다.

○ 쇠로 만든 세간 매만지기

보통 우리 집안에서 세간으로 쓰는 쇠그릇은 무쇠그릇, 놋그릇, 구리그릇입니다. 그중에 무쇠그릇이 사시로 많이 쓰는 것이요. 겨울에는 놋그릇이 그중 많이 쓰는 것입니다. 무쇠로는 솥, 냄비 등이 그 중 많은 것이요, 그다음에는 지짐질[285]하는 전철[286], 석쇠 등입니다. 이것들은 모두 다 녹나기 쉬운 것으로 녹이 몹시 나서 그 쇠가 썩어 아주 못쓰게 되는 일이 있는 것이니까 대관절 녹이 쓸지 않도록 해야 하겠습니다. 본디 녹이라는 것은 물기가 있는데 공기 중의 산소라는 것이 달라 들어서 생기는 것이니까 항상 그것을 주의해야만 되겠습니다. 물기가 없도록 행주질을 잘해야 할 것이면 쟁가비[287]나 석쇠나 전철 같은 것은 기름 수건질을 해두는 것이 매우 좋습니다. 다음에 놋그릇으로 말하면 우리 조선 사람들이 특별히 많이 쓰는 쇠그릇인바, 이것은 산화를 몹시 잘 받는 것

---

285) 지짐질: 부침개를 부치는 일.
286) 전철(煎鐵): 전을 부치거나 고기 따위를 볶을 때에 쓰는, 솥뚜껑처럼 생긴 무쇠 그릇.
287) 쟁가비: 냄비의 이칭. 삼국시대에는 초두(鐎斗)라고 했다.

이요, 그뿐 아니라 조금만 손질을 게을리하면 푸른 녹이 슬기 쉬운 것입니다. 푸른 녹으로 말하면 사람에게 해독을 끼치는 것이니까 쓴 뒤에는 반드시 마른행주질을 잘해서 잘 말렸다가 다시 꺼내 쓰는 것이 좋을 것이며 가끔가끔 벽가루[288]나 재로 닦아 써야만 됩니다. 주석쇠 닦는 약이나 또는 가루에 쇠기름 같은 것을 섞어서 닦는 것도 매우 좋습니다. 어찌하였든지 놋그릇은 잘 깨지지 않고 볼썽[289]이나 있지만은 가붓하고[290] 독기 있고 사람의 손 많이 가는 것이니까 될 수 있는 대로는 많이 쓰지 않는 것이 좋을 것이라고 생각합니다.

○ 의복감에 쟁치기[291]

우리 조선 부인들은 항용 의복감에 쟁치는 것을 모르는 분도 많으시고 싫어하시는 분도 많으신 모양입니다. 그래서 걸핏하면 쟁집, 쟁집, 쟁집에다 갔다 줘야지 하시는 일이 많습니다. 그렇지만 실상은 매우 쉬운 것이요, 다듬질하는 것보다는 몇 갑절 수공이 덜 드는 것입니다. 세간 중에 쓸데없는 허섭스레기 세간들을 없애버리고 쟁치는 기구 한 벌만 장만해 두시면 무슨 귀중한 의복감이든지 쟁집에 가지 않고 집안에서 잘 칠 수가 있습니다. 그 방법과 기구는 이러합니다.

---

288) 벽가루: 곱게 빻은 기와 가루.
289) 볼썽: 남에게 보이는 체면이나 태도.
290) 원 표기: 갑붓하다. 가붓하다: 조금 가벼운 듯하다.
291) 쟁치다: 풀을 먹인 명주나 모시 따위를, 재양틀에 매거나 재양판에 붙이고 반반하게 펴서 말리거나 다리다.

1. 널292)에 붙여 치는 쟁

이것은 막치기293) 허섭스레기 의복감을 쟁치는데 쓰는 것입니다. 의복감을 모두 풀을 고르게 먹여가지고 널빤지에다가 반반하게 붙여놓은 후 철손294) 같은 것으로 구겨진 데295) 없이 잘 매만진 뒤에 볕에 놓아 말리는 것입니다.

2. 댓가지로 매여서 치는 쟁

이것은 고은 의복을 썩 잘 치는 것인데 이 기구는 일본 사람의 잡화상에 가서 만들어놓은 것을 사도 좋고 집안에서 만들어도 되는 것입니다. 댓가지를 썩 고르게 일매지게296) (길이는 임의대로) 깎아서 양편 끝에는 가는 강철이나 바늘 같은 것을 박으면 되는 것입니다. 그렇지 않으면 댓가지 끝을 썩 날카롭게 잘 깎아도 좋은 것입니다. 이러한 기구를 장만해가지고 쟁칠 것을 그 기구에 맞도록 폭을 이어 꿰매가지고 풀을 알맞춰 먹인 뒤에 양편 끝에 나무 조각을 대여 가지고 볕 잘드는 데다가 빨랫줄 매듯이 건너질러 매어놓은 후 냉수를 입에 물어서 골고루 뿜든지 혹은 걸레에 묻혀가지고 골고루 칠한 뒤에 아까 장만해 놓았던 댓가지를 가져다가 한편 끝에서부터 침척297) 세넷 치298) 다섯 치의 간격으로 복 메듯이 매여 나오는 것입니다.

그래서 꾸득꾸득하게 거의 다 말랐을 때 댓가지를 빼어놓을 것

---

292) 널: 판판하고 넓게 켠 나뭇조각. 널빤지.
293) 막치기: 되는대로 마구 만들어 질이 낮은 물건.
294) 철손: 쇠손 혹은 흙손과 같은 기구로 짐작된다. 겉면을 편평하게 다듬는 기구이다.(역자)
295) 원 표기: 굴은데
296) 일매지다: 모두 다 고르고 가지런하다.
297) 침척(針尺): 바느질을 할 때에 쓰는 자.
298) 치: 길이의 단위. 한 치는 3.03cm 이다.

같으면 훌륭하게 됩니다. 그런데 쟁치는데는 항용 쌀풀, 녹말풀, 우뭇가시풀 등을 씁니다만 그중에서 좋은 것은 우무풀입니다. 우무풀은 첫째 다른 풀과같이 의복감을 삭게하지 않으며 빛도 변하게 하지 않으며 윤택이 나게 하는 것입니다.

패물 이용 이야기 = 귤껍질의 소용 =

이 세상의 모든 물건이 무엇에든지 반드시 쓸모가 있는 것이올시다. 그리고 아주 할 수 없이 다 떨어져서 못쓰게 된 물건이라도 어느 데 쓸모가 있는 것이지만은 사람이 몰라서 쓰지 못하는 일이 오죽이나 많습니까. 이제 내버리는 물건을 이롭게 쓰는 이야기를 소개하겠습니다.

이번에는 귤껍질, 유자껍질 또는 탱자껍질 등 귤과 같은 종류의 버리는 껍질을 쓰는데 대하여 이야기하겠습니다.

◇ 유자나 귤껍질을 넣고 더러운 손수건을 삶아내면 빛이 희고 수건에서 향기가 납니다.

◇ 한방약국에서는 진피라는 약재료로 씁니다.

◇ 냄새 독하게 나는 유자껍질을 항아리에다 넣고 모당(모진 덩어리 설탕)을 넣은 후 공기 통하지 않도록 뚜껑을 꼭 덮어서 사오일 후에 그 모당을 꺼내서 떡이나 차나, 약식이나 수정과 같은 모든 설탕 칠 음식에 깨뜨려 뿌리면 향취가 좋습니다.

◇ 마르지 않은 귤껍질은 더러운 검은 구두를 새것같이 훌륭하게 닦아 놓을 수 있는 것이올시다. 그 방법은 귤껍질 안쪽으로 구두에 묻은 때를 모두 씻어버린 뒤에 부드러운 헝겊으로 닦는 것이올시다.

◇ 귤껍질로 어린아이들을 즐겁게 해주는 매화불[299]을 올릴 수가 있습니다. 그 방법은 양초에 불을 놓고 그 불꽃 위에다가 귤껍질을 쥐어짜서 물을 떨어뜨리면 귤껍질에서 나오는 기름으로 말미암아 형형색색의 매화불이 나타납니다.

- 구두닦기 -

~~~~~~~~

항용 구두를 닦는 법이 신을 때 닦느라고 야단입니다. 그렇지만 그것은 구두를 오래 신는데도 좋지 못하고 신는 이의 게으른 것도 나타납니다. 신었다가 벗어 놓을 때 모든 더러운 것을 말갛게 털어내고 될 수 있는 대로 좋은 구두약을 조그만 솔에 묻혀 골고루 칠해놓은 후에 부드러운 수건으로 닦는 것이 좋습니다. 그리하면 한결 오래 신습니다.

---

299) 매화(魅火)불: 도깨비불.(출처: '고창서도 고문, 원인모를 불을 놓았다고 고문', 동아일보 1924. 6. 9.)

여학교 통신

한집안 식구 같은 우리 동창들: 근화학원[300] K 양

우리 근화학원도 학교 축에 들까요. 완전한 학교는 아니라도 배우고 가르침에 대하여서는 일반이겠지요. 네. 그렇지 않습니까. 우리가 배우는 곳이라 그런지 별로 정답고 오수근한 것이[301] 늘 마음에 즐겁고 재미가 나서 한마디 씁니다.

우리 학원은 서울 복판 청진동 곧 수송동 보통학교 남편 쪽에 있는 조선여자교육회관 안이외다. 학원의 설립자는 김미라사 선생님이구요. 가르치는 선생님들은 사회의 젊지 않은 전문 지식을 가지신 어른들이외다. 그런데 제일 첫째 다른 학교와 별다른 취미를 가진 것은 우리 배우는 동무들의 이야기에요. 우리 동무 중에는 어린애 어머니도 있고, 애 밴 이도 있고, 갓 시집간 이도 있고, 또 우리 같은 처녀도 있고 아직 자라지 못한 소녀들도 있어 마치 식구 많은 집 한 가정 같습니다. 할머니, 어머니, 며느리, 딸, 손녀 다 모아 붙어 배우지요. 재미있지 않아요. 우리 여자계에 대통운이 들었기에 이러한 기관이 생기여 이렇게 가르치고 배움으로써 즐기게 되지요. 안 그렇습니까. 어떤 때 어떤 이는 아기를 업고 와 배우기도 하고, 또 어떤 이는 남편이나 아들의 옷감을 가지고 와서 쉬는 동안 책상 밑에서 하는 이도 있답니다. 그런 때 원장 선생님은 집안 늙은이 모양으로 이리저리 거느리시다가 빙그레 웃으며

---

300) 근화학원(槿花學院): 덕성여자대학교가 1920년대 처음 설립되었을 당시의 명칭. 설립자는 차미리사(車美里士) 선생이다.
301) 오수근하다: [북한어] 친절하고 오붓하다.

"많이 배우고 많이 일하시오. 참 고맙소이다." 하고 정답게 말씀합니다. 우리는 따라서 정다워지며 감축한 생각이 온몸을 에워쌉니다. 참 재미스러워요.

신문 기사 모으기: 동경숙덕여학교[302] 차○순

저의 가장 사랑하는 신여성에 여학교 통신이 나는 것은 재미있게 읽사오며 또 크게 유익한 일이 되리라고 믿사옵는 바, 이제 저는 조선 여학교는 아니오나 제가 다니는 일본 동경 사립 숙덕여학교 안의 여러 가지 중에서 여러분께 권고하고 싶은 것 한 가지를 적겠습니다.

학교에서 장려하여 여학생들에게 각각 집에서 한 가지나 두어 가지의 신문을 보게 하되, 그중에 재미있게 보았거나 유익하다고 보았거나 새로운 현상이라고 본 것은 기사나 사진이나 일일이 오려내어서 반지[303]로 만든 하얀 공책에 차례차례 붙여두게 합니다. 그래서 1달 치를 1권씩 꼭꼭 매어두는고로 1년이면 그렇게 오려 모은 책이 12권이 됩니다. 그 책 겉장에는 '세상의 그림자'라거나 '물망초'라거나 제 마음대로 이름을 좋게 짓습니다만 그 책 1권 속에 그 사람이 본-직접, 간접으로 그 사람에게 관계된- 1달 동안

---

302) 동경숙덕여학교(東京淑德女學校): 현 학교법인 대승숙덕학원(大乘淑德學園). 1892년 숙덕여학교로 창립했고 1948년 숙덕중학교와 숙덕고등학교로 개칭했다. 창립자는 와지마 몬죠(輪島聞声), 불자였으며 불교의 정신을 건학이념에 두며 숙덕여학교를 개교했다. 당시 학교 위치는 도쿄 코이시카와(東京小石川)였다.

303) 반지(半紙): 얇고 흰 일본 종이. 세로 25cm, 가로 35cm 정도로 종이의 질은 질기고 거칠며, 종류와 쓰임이 다양하다.

의 세상 살림이 꼭꼭 뭉쳐있는 것입니다.

이 일은 후일에 참고로도 좋은 일 이려니와 여자로 하여금 사회현상에 눈 밝게 하고 또 그 모든 현상에 대한 이해력을 기르고 또 일반사회상식을 넓히는데 매일 큰 효과를 나타내는 일인가 합니다.

저희 숙덕학교에서는 1달에 1번씩 전달치 책을 모아서 학교 안에서 그 전람회를 엽니다. 나는 이러한 종류를 모았는데 남은 어떠한 기사를 중요하게 모았나 하고 비교해 볼 때에 퍽 재미있습니다.

사회와는 딴 세상에 살 듯 하는 조선여자 여학생들에게는 더 필요할까 합니다.

우리 학교에도 명필이 있답니다: 숙명여자고등보통학교 순 생

경성 여자고등보통학교에 임성숙이라고 하는 이가 글씨를 잘 쓴다고 글씨를 사진으로 내시고 칭찬을 하셨지요? 왜, 그 학교에만 그런 명필이 있습니까? 우리 숙명학교에도 그만 못하지 않은 명필이 있답니다. 더군다나 우리 학교에는 보통과 5년 생도가 명필이에요? 우리 '김라순'의 글씨도 좀 사진으로 내시고 세상에서 두 글씨를 보아주시게 해주십시오. 나는 장원은 '김'의 글씨가 차지함이라고…………. 나중 말은 그만두지요.

우리 학교 안의 즐거운 모듬-이문회와 성문회: 서울 이화여고 한○화

모든 것이 잠들고 죽어 엎드리고 모진 바람만 휘젓고 다니는 삼동 중에는 사람들도 모두 조리려고[304] 들어앉았기만 하여 '어서 겨울이 지나가 버렸으면.'하고 봄을 기다리는 외에 아무 재미도 없는 살림 아닙니까. 그런데 우리 학교 안에서는 바깥세상에 바람이 불거나 추위가 기승을 피거나 전혀 겨울을 잊어버리다시피 재미있게, 재미있게 지나갑니다. 대학과 중학과에는 이문회, 고등과에는 성문회가 있어서 1달에 2번씩 어떤 때는 오후 하학후에 즉시, 또 어느 때는 저녁 먹고 밤에 전등불 밑에 한방에 모여서 우리끼리의 토론, 재미있는 이야기, 아름다운 노래, 그림그리기, 연극 재미있는 유희 등 무엇이든지 생각나는 대로 재주 자라는 대로 합니다. 말로는 심심하여도 퍽 재미있는 회여요. 잘못되면 웃고, 잘하면 기뻐하고 이 패 저 패 성벽을 내어 이기기를 겨루기도 하며 이렇게 지내는 것은 우리에게 어떻게 행복되고 기쁜 일인지 모릅니다. 이런 일은 공부 복습이나 의견교환으로도 유익한 일이겠지만 그것보다 서로서로의 친목 도모와 또 고상한 취미와 고운 정서를 기르는 데 큰 유익을 주는 일이라고 생각됩니다. 우리는 참말 온 겨울 내 이 회를 기다리는 재미 이외에 아무 재미도 없습니다. 아아 즐거운 이문회, 성문회. 그것은 우리의 학교생활 중에 제일 즐거운 잊히지 못할 놀이입니다.

　　이 학교통신이라는 것은 피차에 유익한 것이며 매우 재미스러운 것입니다. 그러나 번번이 모이는 것이 몇 가지 되지 못하는 것이 유감이올시다. 다음부터는 될 수 있는 대로 많이 적어 보내십시오.

- 신여성 편집부-

---

304) 조리(調理): 건강이 회복되도록 몸을 보살피고 병을 다스림.

[재미있는 동화] 체부305)와 굴뚝새306): 소파(방정환)

입춘이 훨씬 지나도 북쪽 시골은 아직까지도 그저 차디찬 엄동이었습니다. 나무마다 뼈만 앙상해서 잠자코 서있고 새는 죽은 듯이 잠자고 있었습니다. 그리고 동리 밖에 넓은 들에는 겨우내 오신 눈이 쌓여있어서 조그만 개천이나 내는 눈 속에 묻혀있는 대로 자취가 사라져서 어디 있는 줄도 모르겠습니다.

어느 날 그 동리 밖에 허연 눈벌판에 누르고 거무스름한 물건이 하나 나타났습니다. 누르고 거무스름한 물건 하나라고 먼 데서는 그렇게밖에 안 보였을 것입니다. 그러나 그것은 밭고랑 좁은 눈길을 타박타박 걷고 있는 사람 하나였습니다.

그 사람은 누른 모자를 쓰고 누른 양복 위에 누른 외투를 입고 발에는 굵은 짚신을 신고 각반307)을 찼습니다. 그리고 외투 위에는 빨간 보퉁이를 짊어지고 어깨에는 꺼먼 가방을 메었는데, 그 가방에는 다 벗겨져서 얼른 눈에 띄지 않는 붉은빛 무슨 표가 있었습니다.

이가 무슨 사람인지 벌써 짐작하셨겠지요. 우체부(우편배달부)는 이른 아침에 읍에서 우편국을 떠나서 중로에 여러 곳 마을에 들러오면서 편지를 전하고 왔습니다. 그리고 이제 맨 끝 동리에서도 거의 5리나 떨어져 있는 외딴집에 단 한 장 편지를 전하려고 논 위

---

305) 체부(遞夫): 우편집배원의 옛 용어. 보통 '우체부'라고 부른다.
306) 굴뚝새: 나무발발잇과의 새. 몸의 길이는 6~7cm이며, 진한 갈색에 검은 갈색의 가로무늬가 있다. 거미, 곤충이 주식이고 5~6월에 4~5개의 알을 낳는다. 우리나라에서 번식하는 텃새로, 여름에는 산지에서, 겨울에는 평지에서 사는데 아시아, 유럽 등지에 분포한다.
307) 각반(脚絆): 걸음을 걸을 때 발목 부분을 가뜬하게 하기 위하여 발목에서부터 무릎 아래까지 돌려 감거나 싸는 띠.

를 타박타박 걸어가는 것이었습니다.

　손에 들고 가는 그 편지에는 3전짜리 우표가 1장 붙어있었습니다. 그러니까 무게도 4돈[308]밖에 못 될 것입니다. 그러나 남의 편지는 3전이나 4돈이라는 마음으로 다루어서는 안 될 것이었습니다. 그래서 체부는 5리나 되는 눈길을 편지 1장 전하려고 타박타박 걷는 것이었습니다.

　걸어가면서 그 편지 겉봉에 쓰인 것을 보고 체부는 그 편지를 써 부친 사람이 받을 사람의 아들이나 손자인가 보다……고 생각하였습니다. 그리고 그 편지 부친 아들이나 손자가 돈벌이하려나 공부하려나 외국에 가는 사람인 것을 알았습니다.

　체부는 걸어가면서 그 편지를 다시 가방 속에 넣고 눈 위를 보면서 걸음을 자주 띄었습니다.

　그러나 몇 걸음 못 가서 체부는 주춤하면서 우뚝 서버렸습니다. 널따란 벌판에 눈만 허옇게 덮여 있고 나아갈 길이 흐지부지 없어지고 만 것을 그제야 알았습니다.

　벌판 끝에는 집이 몇 개 있지도 않고 편지도 자주 오는 곳이 아닌 고로 어쩌다가 1번, 2번 오게 되는 곳인 까닭에 체부도 길이 익숙하지 못하였습니다.

　그런데 지금은 아무 거칠 것 없이 바람만 부는 허연 벌판인 고로 바람은 부는 대로 밭이거나 개천이거나 한결같이 눈을 몰아다 퍼부어 놓아서 어디가 어디인지 분간할 수 없었습니다.

　"탈이 났는 걸……. 길을 찾을 수 있어야지. 함부로 가다가는 눈고랑에 쑥 빠져들어 갈 터이고……."

---

308) 원 표기: 몬매(匁). 일본의 중량 단위로 우리나라의 '돈' 단위이다. 1돈은 3.75g이다.

하면서 체부는 한 걸음도 걷지 못하고 걱정 걱정하면서 갈 곳을 두루 바라보았습니다.

거기서 한 10간쯤[309] 되는 곳에 짚더미같이 우뚝한 것이 눈에 덮여서 하얗게 서있는데 두리번두리번하는 체부의 눈이 언뜻 그리로 향할 때였습니다. 바로 그때에 거기 있던 조그만 새 한 마리가 체부를 보았습니다. 그 새는 조그만 굴뚝새였습니다.

날마다 날마다 벌써 여러 날째 눈 속에 갇혀 있던 굴뚝새는 뜻밖에 사람의 소리를 듣고 대단히 반갑게 생각하였습니다. 그래서 이제 그 사람이 걷지를 못하고 서서 곤란해하는 것을 보고 짹짹하면서 후루룩 날아서 체부의 앞으로 왔습니다.

체부는 그 새가 굴뚝새인 것을 알았습니다. 그리고 굴뚝새라는 새는 항용 냇가로 날아다니는 것이라는 말을 들었으니, 굴뚝새 뒤를 쫓아가면 냇가로 가서 가려는 집 앞으로 가게 될 것을 생각했습니다. 그래서 체부는 그 굴뚝새가 짹짹 하면서 조금씩 조금씩 앞으로 뛰어나가는 것을 보고 이때껏 멈추고 섰던 발을 떼어서 걷기 시작했습니다.

새 가는 쪽만 보면서 따라가자. 그러나 무심코 손을 들든지 큰 소리를 내면 탈 난다. 새가 놀라 달아나면 안 되니까…….하고 자기가 자기에게 주의하면서 얌전하게 따라갔습니다. 가는 대로 뒤에는 체부의 발자국이 새로 움푹움푹 나기 시작하였습니다.

그렇게 한참 가서 바로 그 외딴집에 이르렀습니다. 체부는 기쁜 낯으로 그 1장 편지를 전하였습니다. 쓸쓸스럽게도 외딴 그 집에는 그래도 여러 식구가 살고 있었습니다. 환갑이나 되어 보이는 늙은 노인 내외분하고 서른대여섯이나 되어 보이는 젊은이 내외하고

---

309) 간(間): 길이의 단위. 한 간은 여섯 자로, 1.81818m에 해당한다.

열두어 살 되는 소년과 열 살쯤 된 소녀와 칠팔 세 되는 어린 소
년까지 모두 일곱 식구가 모두 반갑게 뛰어나와서 편지를 받고 이
렇게 먼 곳에 고생하면서 편지 전해준 것을 감사 감사히 여겼습니
다.

　노인의 아드님이요, 소년들의 아버지인 젊은 어른은 여편네를 시
켜서 더운 숭늉을 내어다가 체부에게 대접하였습니다. 체부는 발을
굴러 짚신의 눈을 털고 모자를 벗고 문지방에 앉아서 더운 숭늉을
훌훌 마시면서 몸을 녹였습니다. 노인은 그 편지를 뜯어 읽어보고
젊은 아들께 주었습니다. 편지는 체부가 아까 짐작한 것처럼 공부
하려고 외국에 가 있는 노인의 손자가 보낸 것이었습니다. 아이들
은 언니에게서 편지가 왔다고 좋아하고 어른들은 잘 있다는 소식
이 왔다고 모두들 기뻐하면서 노인은 그 손자가 재작년에 외국 간
것과 작년 여름에 잠깐 다녀간 일과 지금 또 편지가 온 것을 자랑
겸 감사한 인사 겸 이야기를 하였습니다.

　체부는 자기가 애를 쓰고 갔다가 전한 편지 한 장에 이렇게 여
러 사람들이 기뻐하는 것을 보고 마음에 퍽 기꺼웠습니다.

　한 10분쯤 이야기하며 쉬고 나서 체부는

　"몸을 녹여주셔서 대단히 고맙습니다. 안녕히 계십시오."

　하고 일어섰습니다.

　"아이구, 그 먼 길에 편지를 전해주셔서 대단히 감사합니다. 추
운데 안녕히 가십시오."

　하고 온 집안사람이 모두 나와서 인사를 하였습니다.

　체부는 다시 한번 인사를 하고 돌아서서 그 집 밖으로 나왔습니
다.

돌아가려고 나서서 체부는 아까 그 조그만 굴뚝새 생각이 언뜻 났습니다.

"아차, 잊어버릴 뻔했군."

하고 다시 돌아서서 그 집으로 들어갔습니다.

"대단히 미안합니다만 댁에 갈대가 있거든 좀 주셨으면 좋겠습니다. 그리 많지 않아도 좋습니다."

"갈대 말씀입니까? 얼마든지 있습니다."

"네. 가는 길에 그것을 드문드문 꽂아놓고 가려고 그럽니다."

"어이구 도리어 너무 미안합니다."

하고 젊은 주인은 갈대 한 묶음을 내어다가 체부에게 주었습니다.

하늘에는 구름이 여기저기 뭉쳐있어서 아주 얼어붙은 것처럼 꼼짝도 아니하고 있었습니다. 점심때가 훨씬 지나고 새로 3시쯤이나 된 겨울 해는 구름 사이로 넓은 벌을 비추고 있었습니다. 아무 곳에도 사람의 그림자 하나 보이지 않고 굴뚝새도 보이지 아니하였습니다. 다만 하얀 눈길로 드문드문 갈대 하나씩을 꽂아놓으면서 가는 체부의 몸과 그 그림자가 눈 위에 움직여질 뿐이었습니다.

그 이튿날은 아침부터 모진 바람과 함박눈이 쏟아져왔습니다. 어저께 체부가 지나간 발자국은 물론 없어져 버렸습니다. 한줄기 외딴 길은 다시 없어졌습니다. 그러나 드문드문이 꽂혀있는 갈대는 바람에 불러서 더러 잘라지기는 하였을망정 그대로 남아있어서 그래도 그것이 길이라는 표적은 될 수 있었습니다. 또 그 이튿날은 바람도 눈도 오지 않았는데 그날 점심때 젊은 사람 하나가 수레를 끌고 오다가 눈 위에서 길을 찾지 못하여 애를 쓰다가, 그 갈대가

죽 꽂혀있는 것을 보고 그대로만 죽 지나갔습니다. 그런데 그 수레 위에는 좁쌀 섬이 실려 있었는데 그 섬에 조그만 구멍이 둘이나 있어서 그 구멍으로 노란 좁쌀이 솔솔 흘러서 수레 가는 대로 죽 늘어 놓았습니다.

며칠째 눈에 갇혀서 먹을 것을 얻지 못하고 있는 굴뚝새는 이날 볕 난 틈을 타서 먹을 것을 얻으러 나왔다가 좁쌀이 끝없이 길게 쏟아져 있는 것을 보고 한없이 기뻐하였습니다. 참말 겨울에는 눈이 와서 땅을 덮는 고로 새들은 먹을 것을 얻지 못하여 배를 주리는 것이었습니다. 이번 좁쌀이 아니었다면 조그만 굴뚝새는 어떻게 배고픈 고생을 할지 몰랐을 것입니다.

짹짹 짹짹 기쁜 소리를 치면서 흡족해할 때 굴뚝새는 이삼일 전에 여기를 지나간 체부를 생각하였습니다.

체부가 그날 돌아가는 길에 갈대를 꽂았는지 어쨌는지……. 또 무슨 생각을 하고 그것을 꽂았는지 그런 것은 굴뚝새는 알 까닭이 없었습니다. 다만 그때 체부에게 길을 인도해 준 것만은 좋은 일을 하였다고 생각하였습니다.

먹이310) 귀한 겨울철 깊게 쌓인 눈 위에서 그 빛깔이 노란 좁쌀을 모으며 흡족해하는 굴뚝새는 체부의 일을 생각할 때 마음이 더한층 흡족하였습니다.

-끝-

---

310) 원 표기: 맥이.

[소설] 졸린 머리: 안톤 체호프 작, 유지영 역

밤. 금년에 13살 된 아이 봐주는 계집애 **왈카**는 어린애가 잠들어있는 동차311)를 흔들흔들 흔들면서, 거의 들리지 않을 만치 꺼져가는 목소리로 중얼거린다.

"자장, 자장, 자장이요."

아기 듣게 노래 부르세.

성신의 그림 앞에 녹색 '램프' 불이 번득이고 있고, 벽에서 벽으로 방 한가운데를 건너질러 가는 줄이 하나 매여 있는데, 그에는 어린애 옷이며 새까만 큰 바지들이 널려있다. '램프' 위의 천장에는 커다란 푸른 무늬가 번득이고 있다. 그리고 줄에 널린 어린애 옷과 바지 그림자들은 난로 위에도, 동차 위에도 **왈카** 위에도 길게 덮였다.……'램프'가 흔들리면 천장의 녹색 무늬와 옷 그림자가, 흡사히 문틈으로 불어 들어오는 바람에 날리는 것 같이 번득인다. 난로 냄새와 구두 냄새에 숨이 막힐 듯하다.

어린애가 운다. 너무 오랫동안 울고 있는 까닭에 그만 목소리까지도 쉬고 쉬어서 시진해졌건만312), 그래도 역시 운다. 어느 때쯤이나 양에 차도록 울고 말려는지, 누구라서 알겠는가? 그리고 **왈카**는 졸려졌다. 눈꺼풀이 무거워진다. 머리가 수그러진다. 목이 아프다.……… 눈꺼풀이며 입술이 좀처럼 움직일 수가 없다. 얼굴이 바싹 타서 돌과 같이 딴딴해진 것 같이 생각된다. 머리가 '핀' 대강이313)만큼 좋아진 것 같이 생각된다.

---

311) 동차(童車): 어린아이를 태워서 밀고 다니는 수레.
312) 시진하다: 기운이 빠져 없어지다.
313) 대강이: '머리'를 속되게 이르는 말. 핀머리(pinhead).

"자장, 자장, 자장이요." 하고 중얼댄다. "아가 먹게 맘마 만드세………."

난로 속에서 귀뚜라미가 귀뚤귀뚤 울고 있다. 저 문 건너편 이웃 방에서는 **왈카**의 주인과 **아다슈스**라는 직공이 코를 골고 있다. 동차는 풀 없이 흔들리고, **왈카**는 중얼댄다………. 그리고 그 구두 소리가 느즈러지게[314] 어우러져서 침상에 잠들어있는 사람의 귀에 즐거운 자장가를 아뢴다. 그렇지만 막 잠이 들려고 하는 때인 까닭에 음악은 기를 갊아 일으키고 마음을 쥐어짤 뿐이다. 도리어 잠이 들지 않아버린다. 만일 **왈카**가 잠이 들 것 같으면, 그야말로 큰일이 난다. 나리에게든지 아씨에게 얻어맞을 것은 정해놓은 일이다.

'램프'가 흔들린다. 녹색 무늬와 그림자는 이리저리 흔들어 헤매면서, **왈카**의 반쯤 열리고 움직이지 않는 눈 속으로 들어가서, 반쯤 깨어있는 머릿속에서, 안개와 같이 희미한 각가지 생각과 어우러진다.

공중에서 서로 쫓고 서로 쫓기면서, 어린애와 같이 울 가망을 하는 검은 구름을 본다. 어느덧 일진[315]의 바람이 부니까, 그 구름은 사라지고, 이번에는 질퍽질퍽한 진구렁[316]의 넓은 길이 **왈카**의 눈에 뵈어졌다. 그 길로 짐 실은 수레가 늘어서서 간다. 등에 봇짐을 짊어진 사람들이 기는 듯이 걸어간다. 그림자가 앞으로 뒤로 움직이고 있다. 길 양옆으로는 산득산득[317]한 깊은 안개를 뚫고 언덕이 내다보인다. 그리하자 갑자기, 봇짐을 짊어진 사람들과 그림자가 질퍽질퍽한 진구렁 속에서 아삭 찌부러진다. "이건 웬일인

---

314) 느즈러지다: 긴장이 풀려 느긋하게 되다.
315) 일진(一陣): 한바탕 몰아치거나 몰려오는 구름이나 바람 따위.
316) 진구렁: 질척거리는 진흙 구렁.
317) 산득산득: 갑자기 사늘한 느낌이 자꾸 드는 모양.

가?" 하고 **왈카**가 물으니까 "자는 것이다. 자는 것이다." 하는 대답이 온다. 그래서 모두 포근히 잠들어버린다. 심기 좋게 잠들어버린다. 그리하자 전황줄에 까마귀 몇 마리가 앉아서, 어린애와 같이 울 가망을 하면서 잠든 사람들을 깨우려고 한다.

"자장. 자장. 자장이요. 아가 듣게 노래 부르세." 하고 **왈카**가 중얼댄다. 그리하자 이번에는 제 몸이 깜깜하고 숨이 막힐 듯한 뜸집318) 속에 있는 것이 보였다. 마루 위에 돌아간 아버지 **에헴**, 스**테파노후**가 누워있다. **왈카**에게는 아버지 모양은 보이지 않으나, 이리저리 뒹굴어 다니면서 신음하는 소리가 들린다. 아버지 자신이 말씀하는 것을 들으면 '헤르니아319)' 병에 걸린 것이란다. 괴로움이 너무 혹독한 까닭에, 말이라고는 한마디도 할 수가 없으며, 그저 숨을 들이쉬었다가 그것을 내쉴 때마다, 북 치는 소리 같은 소리가 입술로 새어 나올 따름이다.

"부, 부, 부, 부, 부………."

어머니 **페라께야**는 남편 **에헴**이 죽으려고 한다는 것을 지주에게 기별하려고 지주댁에 갔다. 벌써 아까부터 매우 오랫동안 가 있건만………. 언제나 돌아오려는 예산인지?

왈카는 화덕 위에 드러누워서 아버지의 "부, 부, 부, 부." 소리를 듣고 있다. 그러는 동안에 누가 마차를 타고 뜸집 문 앞에 이르렀다. 그것은 지주댁에서 보낸 의원인데, 손님으로 지주댁에 머무르는 사람이다. 의원은 뜸집 안으로 들어왔다. 캄캄한 까닭에 모양은 보이지 않으나, 기침을 하는 그의 목소리와 문 젖히는 소리가 **왈카**에게 들린다.

---

318) 뜸집: 띠나 부들 따위로 지붕을 이어 간단하게 지은 집.
319) 헤르니아(hernia): 탈장.

"불을 보여야지!" 하고 의원이 말하니까!

"부, 부, 부."하고 **에헴**이 대답한다.

페라꼐야는 화덕 앞으로 달려가서 성냥 끝을 찾고 있다. 1분 동안은 잠자코 지냈다. 의원은 주머니에 손을 넣어서 자기가 성냥을 그었다.

"선생님. 곧 찾습니다. 곧 이올시다!" **페라꼐야**는 이렇게 말하고 바깥으로 뛰어나가더니, 얼마 안 해 양초에 불을 켜고 들어왔다.

에헴의 뺨은 밝았고, 눈은 반짝반짝하면, 그리고 그 눈동자는 의원이나 벽이나 모두 다 꿰뚫을 듯이 날카로웠다.

"어, 어, 그래서 대체 어떤 모양이야." 하고 물으면서 의원은 병인의 위에 구부정하고, "응 응! 자네가 오랫동안 병을 내버려두었지?"

"아무렇든 상관없습니다. 데려갈 데서 데리러 왔어요. 나리…….이젠 길지 못하니까요………."

"못 살긴……. 우리가 당장 고쳐줄 테야."

"어떻게 되든지 좋도록 해주십쇼, 나리. 참말 고맙습니다…….그렇지만은 예상은 하고 있습니다요………. 어쨌든 죽지 않으면 안 될 것 같으면, 죽지 않을 수 없겠지요………."

반 시간동안이나 의원은 **에헴**을 진찰하더니 벌떡 일어나면서,

"나는 어떻게 할 수가 없어………. 자네는 병원으로 가지 않으면 안 되겠네. 병원으로 가면 누가 수술을 해주겠지. 지금 곧 가지 않으면 안 되네………. 틀림없이! 벌써 늦었네. 병원에서는 모두자를지도 모르겠네……. 그렇지만 걱정 말게. 내가 소개장을 써줌세………. 응 어떻겠나?"

"선생님, 병원에는 어떻게 가야겠습니까?" 하고 **페라꼐야**가 말

곁320)을 달아서, "우리 집엔 말이 없는데요."

"걱정 말게. 자네에게 한 필 빌려주도록, 내가 지주에게 말해주지."

의원은 돌아갔다. 불은 꺼졌다. 그리고 **왈카**는 "부, 부, 부." 소리를 들었다. 반 시간쯤 지나서 누가 문밖에 마차를 타고 왔다………. 이것은 **에헴**이 병원에 타고 갈 마차다………. **에헴**은 옷을 입고 나갔다.

그런데 지금은 활짝 부서진 고운 아침이 왔다. **페라께야**는 집에 있지 않다. **에헴**의 안부를 알려고 병원에 갔다…….

그리하자 어린애가 울고 있다. **왈카**는 누구인지 자기와 같은 목소리로 노래 부르는 소리를 들었다.

"자장. 자장. 자장이요. 아기 듣게 노래 부르세………."

페라께야가 돌아왔다. 가슴에 십자가를 그리며, 이렇게 말했다.

"어저께 밤에는 좀 나았는데, 오늘 아침에 기어코 신령님께 영혼을 바쳤어………. 천당으로, 극락세계로! 병원으로 데려가기를 너무 늦게 갔다고………. 좀 더 속히 서둘러야만 되었을 것을………."

왈카는 삼림 속에 들어가서 울고 있다. 그리하자 누구인지 외마디소리가 나오도록 **왈카**의 이마가 수양버드나무에 우지끈 부딪도록, 뒤에서 목덜미를 후려 때리는 사람이 있다. 머리를 번쩍 들고 보니까 눈앞에, 나리님인 구두 장수가 섰다.

"뭘 하고 있니, 요 방정맞은 년아. 아기가 울지 않니? 그런데 너는 자고 있어?"

이렇게 호령을 하면서 손을 쫙 펴가지고 귀쌈321)을 후렸다. 그

---

320) 말곁: 남이 말하는 옆에서 덩달아 참견하는 말.

래서 **왈카**는 머리를 흔들고 동자를 흔들면서 자장가를 부른다. 녹색 무늬와 바지와 어린애 옷 그림자가 벌벌 떨면서 **왈카**를 보고 눈을 깜짝이면서, 금방 또다시 **왈카**의 머릿속에 떠돌아 든다. 또다시 질퍽질퍽한 진구렁의 길이 보인다. 봇짐을 짊어진 사람들이며 그림자들이 댕굴댕굴 굴러서 포근히 잠들어버린다. 그것을 보니까 **왈카**는 견딜 수 없이 졸려온다. 댕굴댕굴 굴고 잠을 좀 잤으면 얼마나 기쁠까.

그렇지만 어머니 **페라께야**가 와서, 어서어서…하며 길을 재촉한다. 둘이서는 직업을 얻으려고 거리로 가려고 하는 것이다.

"돈 한 푼만 주십쇼."하고 어머니가 만나는 사람에게마다 애걸을 한다. "불쌍히 여기십쇼. 나리……." "그 자식을 나를 주게."하는 귀에 익숙한 목소리가 들린다. "그 자식을 나를 주게." 같은 목소리가 또다시 거푸 들리더니, 이번에는 노기를 머금은 날카로운 목소리로, "이년이 자고 있구나, 짐승 같은 것!"

왈카는 벌떡 일어나서 사방을 둘러보니까, 제가 있는 곳이 어디인지 생각이 났다. 거기는 길도 없으며 **페라께야**도 없으며, 또는 모든 사람들도 없이, 다만 방 한가운데 어린애 젖을 먹이려고 온 아씨가 서있을 뿐이다. 그 튼튼한 어깨집이 떡 벌어진 계집이 젖을 먹이면서 어린애를 귀애할 동안에 **왈카**는 그 곁에 조용히 서서 아씨를 쳐다보며, 젖을 다 먹이기를 기다리고 있다.

그러하자, 창밖에 공기는 푸르러진다. 그림자도 없어지려니와 천장에 녹색 무늬도 창백하게 엷어져간다. 미구[322]에 아침이 되는 게다.

---

321) 귀쌈: 귀싸대기.
322) 미구(未久): 얼마 오래지 아니함.

"자, 아기를 받아라." 하고 이르고, 아씨는 자리옷 단추를 끼면서, "또 준다. 병고가 생긴 게다." **왈카**는 어린애를 받아서 동차 안에 뉘이고 또다시 흔들어주기 시작했다. 그림자와 녹색 무늬가 모두 사라졌으니까, 이제는 머리 괴롭게 굴 것은 아무것도 없다. 그 대신에 아까 모양으로 또 졸려졌다. 견딜 수 없이 졸음이 온다. **왈카**는 동차 끝에 머리를 얹고, 졸음을 쫓으려고 하는 듯이 온 몸뚱이를 가지고 그것을 흔든다. 그렇지만 또다시 눈꺼풀이 둔해지고, 머리가 둔해져서 무거워진다.

"**왈카**, 난로에 불을 피워라!" 문 건너편에서 나리의 찡얼거리는 소리가 들린다.

이러한 것이다. 기어코 그대로 일어나서 낮일을 시작할 때가 된 것이다. **왈카**는 동차로부터 물러나서 장작을 가지러 광으로 달려간다. 그것이 어찌 기뻤었다. 다림질을 하거나, 걸음을 걷거나 하는 때는 가만히 앉았을 때와같이는 몹시 졸리지를 않은 까닭이다. 장작을 갖다가 불을 피우노라면, 저의 들과 같이 굳었던 얼굴이, 점점 눈이 떠지고 의식도 점점 반반해지는 것 같은 생각이 난다.

"**왈카**, **사모왈**(차관)323)을 좀 봐 놓아라." 하고 아씨가 분부한다.

왈카는 장작을 찍어서, 불을 지펴가지고, 사모왈의 불을 피워 넣자마자, 또 다음 할 일의 명령이 내란다.

"**왈카**, 나리 덧신을 닦아놓아라!" **왈카**는 마룻바닥에 앉아서 덧신을 닦으면서 이런 일을 생각한다. 이렇게 크고 깊은 장화 가운데, 머리를 틀어박고 잠깐이라도 관계치 않으니 좀 자보았으면 오죽이나 기쁠까………. 그렇게 생각을 하니까 급작이 그 장화가 커

---

323) 차관(罐): 찻물을 끓이는 그릇. 모양이 주전자와 비슷하다.

다랗게 부어올라서 온 방 안에 가득하도록 퍼져간다. **왈카**는 구두 닦는 솔을 떨어뜨려 버린다. 그렇지만 즉시 머리를 흔들고, 눈을 비집어 뜨면서, 무엇 커졌다느니 내 눈 속에서 움직이고 돌아다닌다느니 하는 것이 어디 있나 하는 것같이 무엇을 찾으라고 한다.

"**왈카**, 바깥 층계를 치워 놓아라………. 손님이 눈살을 찡그린다!"

왈카는 층계를 치우고 방안을 닦아놓고, 그것을 마치면, 한 번 더 난로의 불을 지피고, 그다음에는 가게로 달려간다. 거기도 또한 할 일이 산같이 많다. 1초 동안이라도 쉴 때는 없다.

그렇지만 아무래도, 부엌 테이블 앞에 서서 감자껍질 벗길 때같이 울적한 일은 없다. **왈카**의 머리는 테이블 위에 점점 떨어지고, 감자가 눈에 어리어서 손에 쥐었던 칼은 떨어지는데, **왈카**의 주위로는 몸이 뚱뚱하고 노하기 잘하는 '아씨'가 두 팔을 걷어붙이고 수선스럽게 돌아다니며 **왈카**의 귀청이 떨어지도록 무시무시한 큰 목소리로 주절댄다. 그리고 음식 심부름을 하는 것이라든지, 설거지를 하는 것이라든지, 바느질을 하는 것이라든지, 모든 것이 고통이다. 그러한 중에도 마룻바닥에서라도 쓰러져 자고 싶은 **왈카**의 소원이 걸핏하면 일어난다.

낮은 지나간다. 그래서 어두워 오는 창을 바라보면서 **왈카**는 붉어진 관자놀이를 누르면서 저로서도 웬일인지 알지 못하고 미소를 한다. 어둠은 짙어져서 **왈카**의 눈꺼풀을 측은히 여기면서, 포근히 잠잘 때가 곧 올 테라고 약속한다. 그러나 저녁때는 구둣가게 방에 손님이 가득가득하다.

"**왈카**, 사모왈을 봐놓아라!" 하고 아씨가 소리를 지른다.

그것은 적은 '사모왈'이기 때문에 손님 몇 사람이 흡족하게 먹을 만큼 하려면 다섯 번은 물을 갈아 넣어서 끓어야만 한다. 차를 만들어 놓은 뒤에 **왈카**는 1시간 동안이나 한자리에 우두커니 서서 손님의 눈치를 보면서 명령을 기다리고 있다.

"**왈카**, 뛰어가서 맥주 세 병만 사 오너라!"

왈카는 섰던 자리에서 돌쳐나와서324), 졸음을 쫓으려고 될 수 있는 대로 뛰어가려고 한다.

"**왈카**, **보드카**325)를 가져오너라! **왈카**, 병마개 빼는 것은 어디 있니? **왈카**, 생선을 씻어라!"

마침내 손님은 돌아간다. 불은 꺼진다. 나리와 아씨는 침대에 눕는다.

"**왈카**, 동차를 흔들어주어라!" 마지막 명령이 내리었다.

난로 속에서 귀뚜라미가 귀뚤귀뚤 울고 있다. 천장에 녹색 무늬와 바지와 어린애 옷 그림자가 **왈카**의 반쯤 뜬 눈앞에 또다시 어른거리기를 시작하고 **왈카**를 보고 눈을 깜빡이며, 얼마 안 되어서 **왈카**의 머릿속을 흐릿하게 했다.

"자장, 자장, 자장이요." 하고 중얼댄다. "아기 듣게 노래 부르세…."

그래도 어린애는 어찌 우는지 파김치가 되도록 울고 있다. **왈카**는 또다시 질퍽질퍽하는 진구렁을 본다. 봇짐을 짊어진 사람들을 본다. **페라께야**를 본다. 그리고 아버지 **에헴**을 본다. 그런 것들을 생각도 하다가, 보기도 하다가 한다. 그렇지만 잠에 취해있는 까닭에, 저의 수족을 묶어가지고 저라고 하는 것을 때려 부숴서 저의 목숨을 점점 눌러서 죽여뜨리려는 힘이, 그 무슨 힘인지! 도무지

---

324) 돌쳐나오다: 들어가다가 돌아서 도로 나오다.
325) 원 표기: 위드카

알 수가 없다. **왈카**는 저의 주위를 살펴보면서, 그 힘으로부터 저의 몸을 **빼내려고** 찾아본다. 그래도 찾아낼 수가 없다. 그래서 기어이 괴로워서 참을 수가 없는 까닭에, 온몸에서 힘이란 힘은 모두 합해가지고, 눈을 버팅기고, 어른어른하는 녹색 무늬를 쳐다보고 있으려니까, 어린애 우는소리가 귀에 들린다. 그리하기까지의 마음을 썰어나가는 원수를 찾아내었다.

원수는 어린애이다.

왈카는 웃는다. 놀란 것이다. 어째서 이렇게 우스꽝스러운 일이 이때까지 알 수가 없었는가? 녹색 무늬도 그림자도, 그리고 귀뚜라미들까지도, 모두들, 미소를 하고, 깜짝 놀라서 있는 것 같이 보인다.

어떤 생각이 **왈카**를 차지했다. 의자로부터 일어나서, 눈을 동그랗게 뜨고, 조금도 구김살 없이 미소를 하면서 방안을 이리저리 왔다 갔다 한다. 저의 수족을 잡아맨 어린애로부터 떠나서, 이제 곧 자유롭게 된다는 것을 생각하면, 어찌나 기쁜지 견딜 수가 없다. 어린애를 죽여버리자, 그리고 잠을 자, 잠을 자.

그리고 미소를 하면서, 눈을 깜짝이면서, 녹색 무늬를 손가락질해 조롱해 가면서, **왈카**는 동차에 달려들어서, 어린애 위에 엎드린다………. 이리하여 어린애를 눌러 죽이고 나서는 마룻바닥에 툭 쓰러진다. 그래서 이제야말로 나는 잠을 자겠다는 생각의 기쁨으로 방그레 웃더니 얼마 되지 않아서 아주 죽은 어린애와 같이 포근히 잠이 들었다. (끝)

남은 말씀

□ 오래 막혔던 인사도 이제야 하게 되고, 설 문안도 이제야 드리게 되니 무어라 할지 어리벙벙합니다.

□ 어쨌든 오래간만이올시다. 안녕들 하십니까. 환세도 잘하시구요. 저희 『신여성』은 그동안 여러 가지 사정 아래에서 지난 12월과 1월 즉, 두 달이나 넘어 여러분을 뵙지 못하였습니다. 못 뵌 여러 가지 미안쩍은 말은 그만두고요.

□ 그런데 이로부터는 기어코 거짓말 없이 달마다 여러분 앞에 찾아뵙기로 작정합니다. 지난 일은 눌러 용서하시고 앞을 위하여 많은 사랑을 주십시오.

□ 이번호에는 특히 여학생 여러분이 의복 문제로 인하여 화류계 여자의 혐의로 여러 가지 악희를 당하던 사실담을 많이 들어놓았습니다. 그것은 우리 『신여성』 제2호에 여학생의 의복 문제를 떠들어놓았기 때문이외다.

□ 그리고 현하 우리 조선의 신여자라는 누구누구를 소개하였습니다. 오는 호에도 내 오는 호에도 누구누구를 이에 소개하겠습니다. 어떤 이가 나오시나 기다려주십시오.

□ 지난번 평양숭의학교의 분규사건이 있자 우리는 곧 기자를 특파하여 전후 전말을 들어왔습니다. 그러나 12월과 1월을 그냥

넘기게 됨에 때가 지난 탓으로 발표를 그만두게 되었습니다. 그리고 서울배화학교로부터 보내신 두 편의 기행문도 때의 탓으로 못 넣게 되옴에 미안합니다.

신여성
제2권 제1호[326)]
정가 30전

1924년 2월 1일 발행기일
1924년 2월 20일 인쇄
1924년 2월 20일 발행

경성부 경운동 88번지
편집 겸 발행인 **방정환**

경성부 청수정 8번지
인쇄인 **민영순**

경성부 공평동 55번지
인쇄소 **대동인쇄주식회사**

경성부 경운동 88번지
발행소 **개벽사**

전화 광 42번
진체 경8106번

매월 1일	월수	정가	우세 포함[327)]
	1개월	금 300	우세 포함
	3개월	금 850	우세 포함
	6개월	금 1,600	우세 포함
	1년분	금 3,000	우세 포함

---

326) 판권지에는 제2권 제3호로 표기되어 있고, 책 뒤표지에는 제2권 제1호로 표기되어 있다. '권'으로 셈하면 제2권 제1호가 정확한 표기이며 통권으로 셈하면 제3호이다.(역자)
327) 우세(郵税) ゆうぜい: (일본어) 우편 요금의 구칭.

[부록] 독립운동가 오현서의 일본 경찰서 조서[328)

증인 오현서 조서(제1회)

천도교 중앙총부 대종사장 정광조 등 불허의 언동으로 특별 성 미금과 납부 전매인 건에 부 신문함. 왼쪽과 같다.

문) 주소, 신장, 직업, 이름, 나이는.
답) 주소 평안도 영변군 영변면 동부동, 천도교구실.
　　신분 양반.
　　직업 천도교구장.
　　이름 오현서.
　　나이 66세.
문) 피고인 정광조는 친족 또는 후견인, 피후견인, 고용인, 동거 등의 관계에 있나.
답) 없습니다.

이에 정광조 등의 피고사건에 대하여 증인을 교부하고, 심문하여 이를 통지함.

문) 너는 언제 천도교구장이 되었나.
답) 저는 올해 3월 27일에 영변 교구실에 갔습니다. 처에 많은

---

328) 출처: 한국사데이터베이스(국사편찬위원회) 한민족 독립운동사 자료집 9권, 삼일운동과 국권회복단 - 2. 지방헌병분대 및 경찰서 (일문) - 증인 오현서 조서(제1회)

신도가 모여 있어서 저를 향했고, 목하 교구장이 없으니, 교구장이 되어 오라 하니 임시교구장이 되겠다고 허락한 것입니다.

문) 그리고는 3월 27일 임시교구장이 되었고, 이후 교구장으로서의 사무가 거행되고 있나.

답) 그렇습니다.

문) 네가 교구장이 되어 특별 성미금과 같은 것을 납품한 일이 있는가.

답) 전혀 없습니다.

문) 그러나 정광조는 너로부터 특별 성미금을 보낼 것을 신청할 수 있음을 네가 부인하면 안 된다.

답) 절대 그런 일은 없습니다.

문) 그러면 1919년 4월 26일 927원 40전의 돈을 송부한 것은 무엇인가.

답) 올해 4월 4일 약 130원을 보냈습니다. 이것은 올해 2월의 월 성미금이고 아직 3월, 4월의 성미금은 보내지 않았습니다. 그 130원계를 보냈던 것뿐으로 그밖에 보낸 적은 없습니다.

문) 그 130원계 돈의 출입을 밝힐 수 있는가.

답) 그건 장부에 밝혀져 있습니다.

문) 올해 2월 혹은 3월 중에 특별 성미금을 보낸다는 서면을 받았나.

답) 그런 것은 온 적이 전혀 없습니다.

문) 신도로부터 성미 이외의 출금하여 중앙총부에 보내라 신청한 것은 없는가.

답) 전혀 없습니다.

우통사에 낭독함이 틀림없다는 취지의 신청 서명날인을 하거나.
상통사가 세운 증인의 조서를 읽고 승인하고 서명 날인한다. 1919
년 5월 15일
　증인 오현서
　통사 순사보 고경성
　어영변경찰서
　사법 경찰관 직무취급 조선총독부순사 전웅청
　1919년 5월 15일
　영변경찰서근무 순사 함병헌
　영변경찰서장 전
　천도교 특별 성미금 송부 수수 보고
　평안북도 영변군 영변면 동부동, 천도교 대교구 실거
　영변천도교대교구장 오현서

오른쪽 사람 천도교중앙총부에 특별 성미금 송부에 관하여 수사
법 어명에 의해 영변천도교구실에 이르러 함께 있는 금융원 박태
훈에 대하여 금년 4월경 특별성미금송부에 관한 서류의 유무를 신
문하니, 4월 25일로 별지 929원 40전 발송의 서류는 제출 후 조
별지 첨부 이단 및 보고한다. 압류 조서에 첨부함. (물건 압류 조
서 및 물품 압류 목록 [1919년 상반기 기도 미대금 영수제 서면
1장] 전재 생략.)

역자의 변

이번 호는 '수징긔'와 신알배터 씨, 독일 대의사의 자료를 찾기가 가장 어려웠습니다. 신알배터 씨는 온라인 데이터베이스에 인명이 수록되지 않은 인물이라 그 인명이 '조선여자청년회' 설명에 발기인으로만 언급되어 있을 뿐이었습니다. 문헌을 찾은 결과, 한 도서에 신알배터 씨에 대한 내용이 상세히 서술되어 있음을 확인할 수 있었습니다. 다량의 내용이기에 최대한 줄여 각주에 실었습니다. 그래도 A4 1쪽 분량이 되어서 제가 요약에 약하다는 사실을 다시 한번 깨닫는 순간이었습니다. 길었다면 죄송합니다.

독일 대의사의 경우 1920년대 바이마르공화국 의원을 찾아야 했습니다. 제가 정치 전공도 아닌지라 대체 어디에서 정보를 찾아야 하나 걱정했습니다. 그런데 독일 국회의 역사를 깊이 있게 다뤘을 국내 책이 얼마나 있을까 싶었습니다. 많은 의원을 다 수록하진 않았겠다는 생각이었어요. 온라인에는 있지 않을까 하여 검색한 결과 독일의 위키피디아에 의원 명단과 프로필이 정리되어 있었습니다. 의회당 의원 수가 480명 정도였습니다. 그중 여성의원을 추리고, 추린 여성 의원 중 신여성의 외래어 표기법과 소리가 가장 유사한 인물, 그리고 신여성에서 설명한 인물 묘사와 프로필과 대조하여 실제 인물의 프로필을 찾을 수 있었습니다. 지난한 자료 조사의 길이었습니다. 위키피디아에 독일 국회의원 프로필을 정리해 준 분께 감사드립니다.

수징긔는 애증의 산물입니다. 아무리 찾아도 웹에서는 수징긔란 단어를 찾을 수 없었습니다. 수증기, 수징기, 수징긔 등으로 찾아도 난방 관련 의미로는 검색이 되지 않았습니다. 도면이라도 뒤지면 뭔가 힌트가 있을까 하여 국가기록원의 타 학교 기숙사 도면을 검색했습니다. 네. 죄다 일본어에 한자가 섞여 있고 건축 관련 내용이라 건축에 문외한인 저는 봐도 모르겠더군요. 다행히 일제강점기 기숙사 난방 관련 연구 논문을 찾아서 큰 도움을 받았습니다. 이 논문 보는 것도 꽤 우여곡절이 있었습니다만, 지면상 이만 줄입니다. 몇 호까지 번역을 완료할 수 있을지는 모르겠습니다만, 힘닿는 데까지 노력하겠습니다. 그럼, 다음호에서 또 뵙지요.

- 2024. 4. 한요진 드림 -